상위권으로 가는 **문제** 해결 **연산** 학습지

응용
연산

A3
초1~초2

받아올림, 받아내림이 있는
두 자리 수와 한 자리 수의 덧셈과 뺄셈

Creative to Math

씨투엠

응용연산 : 상위권으로 가는 문제해결 연산 학습지

요즘 아이들은 초등학교 입학 전에 연산 문제집 한 권 정도는 풀어본 경험이 있습니다. 어릴 때부터 연산 문제를 많이 풀었기 때문에 아이들은 아직 학교에서 배우지 않은 계산 문제를 슥슥 풀어서 부모님들을 흐뭇하게 만들기도 합니다. 그런데 아이들의 연산 능력은 날로 높아지지만 수학 실력은 과거에 비해 그다지 늘지 않은 것 같습니다. 사실 진짜 수학 실력은 연산 문제나 사고력 수학 문제를 주로 푸는 초등 저학년 때는 잘 드러나지 않습니다. 응용 문제를 본격적으로 풀기 시작하는 초등 3, 4학년이 되어서야 아이의 수학 실력을 판별할 수 있습니다.

초등 수학에서 연산이 가장 중요한 것은 부정할 수 없는 사실입니다. 중학생, 고등학생이 되어서 부족한 연산 능력을 키우는 것은 거의 불가능합니다. 이러한 연산의 특수성 때문에 아이들은 어린 나이부터 연산을 반복적으로 연습하여 실력을 키우려고 합니다. 이렇게 열심히 연산을 공부하는데도 왜 어떤 아이들은 수학 문제를 잘 풀지 못하는 것일까요? 그 이유는 현재 연산 학습의 목적이 단지 '계산을 잘 하는 것'이 되어버렸기 때문입니다. 연산은 연산 자체가 목적이 될 수 없으며 수학의 진짜 목표인 문제를 잘 풀기 위한 수단으로 연산을 학습해야 합니다.

과거 초등 수학 교과서의 연산 단원은 ① 원리와 연습 ② 문장제 활용의 단순한 구성이었습니다만 요즘의 교과서는 많이 달라졌습니다. 원리와 연습은 그대로이거나 조금 줄었지만 연산을 응용하는 방식은 좀 더 다양해졌습니다. 계산 능력의 향상만을 꾀하는 것이 아니라 여러 가지 퍼즐이나 수학적 상황 등을 해결할 수 있는 '응용력'에 초점을 맞추고 있다는 것을 보여주는 변화입니다. 따라서 저희는 연산 학습지도 원리나 연습 위주에서 벗어나 실제 문제를 해결할 수 있는 능력에 포인트를 맞추어야 한다고 생각합니다.

'연산은 잘 하는데 수학 문제는 왜 못 풀까요?'에 대한 대답이자 대안으로 저희는 「응용연산」이라는 새로운 컨셉의 연산 학습지를 만들었습니다. 연산 원리를 이해하고 연습하는 것에 그치지 않고, 익힌 것을 활용하는 방법을 바로 보여줄 수 있어야 아이들이 수학 문제에 연산을 효과적으로 적용할 수 있습니다. 연습은 꼭 필요한 만큼만 하고, 더 중요한 응용 문제에 바로 도전함으로써 연산과 문제 해결이 단절되지 않게 하는 것이 「응용연산」에서 기대하는 가장 큰 목표입니다.

「응용연산」을 통해 아이들이 왜 연산을 해야 하는지 스스로 느낄 수 있을 것이라 자신합니다. 이제 연산은 '원리'나 '연습'이 아닌 스스로 문제를 해결할 수 있는 '응용력'입니다.

응용연산의 구성과 특징

- 매일 부담없이 4쪽씩 연산 학습
- 매주 4일간 단계별 연산 학습과 응용 문제를 통한 연산 실력 확인
- 매주 1일 형성평가로 테스트 및 복습

주차별 구성

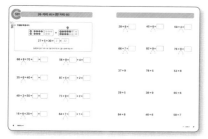

원리연산

대표 문제를 통해 학습하는 매일 새로운 단계별 연산 학습

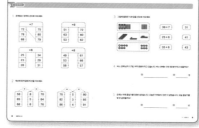

응용연산

기본 문제와 응용 문제를 통한 응용력과 문제해결력 증진

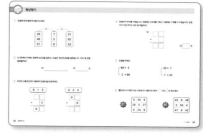

형성평가

가장 중요한 유형을 다시 한번 복습하며 주차 학습 마무리

정답 및 해설

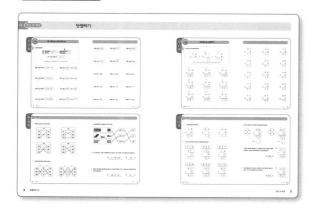

문제와 답을 한눈에 볼 수 있습니다.

이 책의 차례

덧셈하기

받아올림이 있는 두 자리 수와 한 자리 수의 덧셈

(두 자리 수) + (한 자리 수)

덧셈을 해 봅시다.

$$27 + 5 = 30 + \boxed{2} = \boxed{32}$$

5를 3과 2로 가른 다음 3을 먼저 더한 후 2를 나중에 더합니다.

$$68 + 9 = 70 + \boxed{} = \boxed{}$$

$$56 + 8 = \boxed{} + 4 = \boxed{}$$

$$35 + 6 = 40 + \boxed{} = \boxed{}$$

$$87 + 5 = \boxed{} + 2 = \boxed{}$$

$$49 + 3 = 50 + \boxed{} = \boxed{}$$

$$73 + 9 = \boxed{} + 2 = \boxed{}$$

$$16 + 6 = 20 + \boxed{} = \boxed{}$$

$$64 + 7 = \boxed{} + 1 = \boxed{}$$

$28 + 8 =$ ☐

2　　6

$45 + 6 =$ ☐

5　　1

$59 + 4 =$ ☐

1　　3

$66 + 7 =$ ☐

4　　3

$82 + 9 =$ ☐

8　　1

$76 + 8 =$ ☐

4　　4

$37 + 9$

$78 + 5$

$53 + 8$

$29 + 5$

$38 + 9$

$65 + 6$

$84 + 8$

$46 + 6$

$58 + 7$

1 관계있는 것끼리 선으로 이으세요.

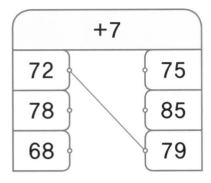

+7	
72	75
78	85
68	79

+9	
51	72
63	60
53	62

+6	
25	34
23	29
28	31

+8	
49	61
53	66
58	57

2 계산에 맞게 알맞게 선을 이으세요.

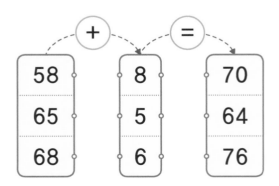

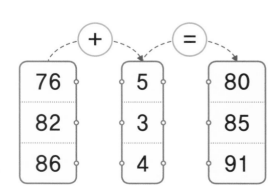

3　그림에 알맞은 식과 답을 선으로 이으세요.

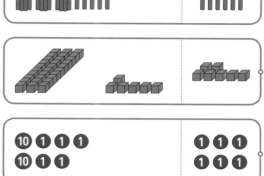

36 + 7　　31

25 + 6　　41

35 + 6　　43

4　버스 안에 남자 17명, 여자 8명이 타고 있습니다. 버스 안에는 모두 몇 명이 타고 있을까요?

식 _____　답 _____ 명

5　준희는 어제 줄넘기를 56번 넘었습니다. 오늘은 어제보다 5번 더 넘었습니다. 오늘 줄넘기를 몇 번 넘었을까요?

식 _____　답 _____ 번

세로셈으로 덧셈하기

개념
원리

세로 방식으로 덧셈을 해 봅시다.

$$\begin{array}{r} 2\ 9 \\ +\quad 6 \\ \hline \end{array}$$ ➡ $$\begin{array}{r} \boxed{1} \\ 2\ 9 \\ +\quad 6 \\ \hline \boxed{5} \end{array}$$ ➡ $$\begin{array}{r} \boxed{1} \\ 2\ 9 \\ +\quad 6 \\ \hline \boxed{3}\ 5 \end{array}$$

일의 자리 숫자끼리의 합이 10이거나 10보다 크면 받아올려서 계산합니다.

$$\begin{array}{r} \square \\ 4\ 8 \\ +\quad 7 \\ \hline \square\ \square \end{array}$$
$$\begin{array}{r} \square \\ 5\ 2 \\ +\quad 9 \\ \hline \square\ \square \end{array}$$
$$\begin{array}{r} \square \\ 2\ 8 \\ +\quad 8 \\ \hline \square\ \square \end{array}$$

$$\begin{array}{r} \square \\ 3\ 9 \\ +\quad 3 \\ \hline \square\ \square \end{array}$$
$$\begin{array}{r} \square \\ 6\ 9 \\ +\quad 6 \\ \hline \square\ \square \end{array}$$
$$\begin{array}{r} \square \\ 5\ 7 \\ +\quad 7 \\ \hline \square\ \square \end{array}$$

$$\begin{array}{r} \square \\ 8\ 5 \\ +\quad 6 \\ \hline \square\ \square \end{array}$$
$$\begin{array}{r} \square \\ 4\ 3 \\ +\quad 7 \\ \hline \square\ \square \end{array}$$
$$\begin{array}{r} \square \\ 6\ 6 \\ +\quad 7 \\ \hline \square\ \square \end{array}$$

```
  6 7        4 4        7 2
+   5      +   9      +   8
```

```
  3 6        8 2        2 8
+   7      +   9      +   4
```

```
  5 4        6 5        4 8
+   7      +   9      +   5
```

```
  7 3        3 6        8 6
+   9      +   8      +   6
```

```
  2 7        5 4        6 9
+   8      +   6      +   9
```

응용연산

1 ☐ 안에 알맞은 수를 쓰세요.

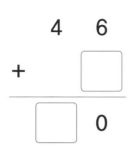

```
   4   6
 +     □
 ─────────
   □   0
```

```
   □   5
 +     7
 ─────────
   7   □
```

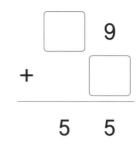

```
   □   9
 +     □
 ─────────
   5   5
```

2 주어진 수를 한 번씩 사용하여 덧셈식을 완성하세요.

```
[ 7  1  6 ]

   5   7
 +     4
 ─────────
   6   1
```

```
[ 4  5  3 ]

   □   □
 +     8
 ─────────
   5   □
```

```
[ 8  2  7 ]

   □   9
 +     □
 ─────────
   3   □
```
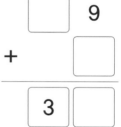

```
[ 7  3  8 ]

   □   □
 +     6
 ─────────
   9   □
```

```
[ 8  3  4 ]

   3   □
 +     5
 ─────────
   □   □
```

```
[ 7  1  4 ]

   6   □
 +     7
 ─────────
   □   □
```
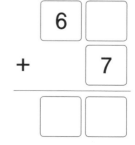

3 주어진 수를 한 번씩 사용하여 덧셈식을 완성하세요.

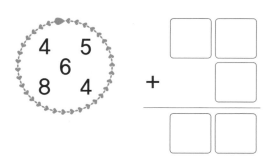

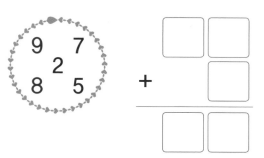

4 소영이는 훌라후프를 돌립니다. 처음에는 **27**번, 다음에는 **9**번을
돌렸다면, 소영이는 훌라후프를 모두 몇 번 돌렸을까요?

식

$+$

답 [   ] 번

5 농촌 체험을 하면서 민호는 오이를 **54**개, 호박을 **8**개 땄습니다.
민호가 딴 오이와 호박은 모두 몇 개일까요?

식

$+$

답 [   ] 개

바꾸어 더하기

개념
원리

두 수를 바꾸어 더해 봅시다.

⑩ ⑩ ❶ ❶ ❶ ❶   ① ① ① ① ① ① ① $24 + 7 = \boxed{31}$

① ① ① ① ① ① ①   ⑩ ⑩ ❶ ❶ ❶ ❶ ❶ $7 + 24 = \boxed{31}$

두 수를 바꾸어 더해도 계산 결과는 같습니다.

$44 + 6 = \boxed{}$ $78 + 5 = \boxed{}$ $59 + 7 = \boxed{}$

$6 + 44 = \boxed{}$ $5 + 78 = \boxed{}$ $7 + 59 = \boxed{}$

$$\begin{array}{r} 6\ 5 \\ +\quad 9 \\ \hline \boxed{} \end{array} \qquad \begin{array}{r} 9 \\ +\ 6\ 5 \\ \hline \boxed{} \end{array}$$

$$\begin{array}{r} 3\ 4 \\ +\quad 8 \\ \hline \boxed{} \end{array} \qquad \begin{array}{r} 8 \\ +\ 3\ 4 \\ \hline \boxed{} \end{array}$$

$$\begin{array}{r} 5\ 6 \\ +\quad 5 \\ \hline \boxed{} \end{array} \qquad \begin{array}{r} 5 \\ +\ 5\ 6 \\ \hline \boxed{} \end{array}$$

$$\begin{array}{r} 8\ 3 \\ +\quad 7 \\ \hline \boxed{} \end{array} \qquad \begin{array}{r} 7 \\ +\ 8\ 3 \\ \hline \boxed{} \end{array}$$

$\begin{bmatrix} 88+ \ 3 &=91 \\ 3 +88 &=91 \end{bmatrix}$

$\begin{bmatrix} 47+ \ 5 \\ 5 +47 \end{bmatrix}$

$\begin{bmatrix} 66+ \ 6 \\ 6 +66 \end{bmatrix}$

$\begin{bmatrix} 39+ \ 5 \\ 5 +39 \end{bmatrix}$

$\begin{bmatrix} 57+ \ 8 \\ 8 +57 \end{bmatrix}$

$\begin{bmatrix} 22+ \ 9 \\ 9 +22 \end{bmatrix}$

$$\begin{array}{r} 6\ 9 \\ +\ \ \ 9 \\ \hline \end{array} \qquad \begin{array}{r} 9 \\ +\ 6\ 9 \\ \hline \end{array} \qquad\qquad \begin{array}{r} 4\ 7 \\ +\ \ \ 6 \\ \hline \end{array} \qquad \begin{array}{r} 6 \\ +\ 4\ 7 \\ \hline \end{array}$$

$$\begin{array}{r} 3\ 5 \\ +\ \ \ 8 \\ \hline \end{array} \qquad \begin{array}{r} 8 \\ +\ 3\ 5 \\ \hline \end{array} \qquad\qquad \begin{array}{r} 7\ 2 \\ +\ \ \ 8 \\ \hline \end{array} \qquad \begin{array}{r} 8 \\ +\ 7\ 2 \\ \hline \end{array}$$

1 합이 ● 안의 수가 되는 두 수를 모두 색칠하세요.

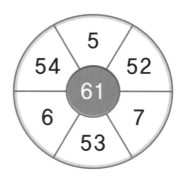 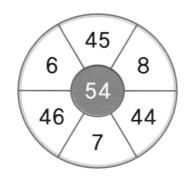 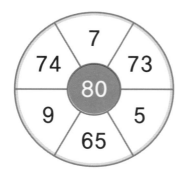

2 ✿ 안의 수가 합이 되는 이웃한 두 수를 모두 찾아 ⬭ 또는 ◗로 묶으세요.

6	74	8
76	5	72
3	75	4

8	41	5
39	6	38
9	37	7

4	32	7
26	3	27
6	28	5

56	7	55
8	54	6
52	9	53

3　다음과 같이 옳은 식이 되도록 카드 1장을 / 로 지우고 식을 쓰세요.

| 7 | 8̸ | + | 4 | 6 | = | 5 | 3 | ➡ | $7 + 46 = 53$ |

| 8 | 7 | + | 6 | 5 | = | 9 | 3 | ➡ | |

| 3 | 5 | + | 6 | 8 | = | 7 | 3 | ➡ | |

4　☐ 안에 알맞은 수를 쓰고, 관계있는 것끼리 이으세요.

튤립이 6송이, 장미가 48송이 있습니다.	공은 모두 몇 개일까요?	$8 + 24 = \boxed{}$
비둘기가 8마리, 참새가 24마리 있습니다.	꽃은 모두 몇 송이일까요?	$6 + 48 = \boxed{}$
농구공이 9개, 탁구공이 35개 있습니다.	새는 모두 몇 마리일까요?	$9 + 35 = \boxed{}$

□가 있는 덧셈

개념
원리

■에 알맞은 수를 구해 봅시다.

| ⑩ ⑩ ❶ ❶ ❶ ❶ ❶ ❶ | ? |

⬇

⑩ ⑩ ⑩
❶ ❶ ❶ ❶ ❶ ❶

식 $27 + \square = 36$

$\square = 9$

■에 들어갈 수를 □라 하여 덧셈식을 세웁니다.

| ⑩ ⑩ ⑩ ⑩ ⑩ ⑩ ❶ ❶ ❶ ❶ ❶ ❶ | ? |

⬇

⑩ ⑩ ⑩ ⑩ ⑩ ⑩ ⑩
❶ ❶ ❶

식

$\square =$

| ⑩ ⑩ ⑩ ⑩ ❶ ❶ ❶ | ? |

⬇

⑩ ⑩ ⑩ ⑩ ⑩
❶

식

$\square =$

| ? | ⑩ ⑩ ⑩ ⑩ ⑩ ❶ ❶ ❶ ❶ ❶ ❶ ❶ |

⬇

⑩ ⑩ ⑩ ⑩ ⑩ ⑩
❶ ❶

식

$\square =$

| ? | ⑩ ⑩ ⑩ ⑩ ❶ ❶ ❶ ❶ |

⬇

⑩ ⑩ ⑩ ⑩ ⑩

식

$\square =$

$37 + \boxed{} = 43$

$\boxed{} + 9 = 51$

$78 + \boxed{} = 82$

$58 + \boxed{} = 65$

$\boxed{} + 8 = 74$

$28 + \boxed{} = 36$

$49 + \boxed{} = 57$

$\boxed{} + 5 = 91$

$39 + \boxed{} = 48$

$74 + \boxed{} = 83$

$\boxed{} + 6 = 43$

$47 + \boxed{} = 54$

$$\begin{array}{r} 3\ 5 \\ + \ \boxed{} \\ \hline 4\ 3 \end{array}$$

$$\begin{array}{r} 7\ 9 \\ + \ \boxed{} \\ \hline 8\ 4 \end{array}$$

$$\begin{array}{r} 4\ 8 \\ + \ \boxed{} \\ \hline 5\ 4 \end{array}$$

$$\begin{array}{r} \boxed{} \\ + \quad 7 \\ \hline 9\ 5 \end{array}$$

$$\begin{array}{r} \boxed{} \\ + \quad 9 \\ \hline 3\ 3 \end{array}$$

$$\begin{array}{r} \boxed{} \\ + \quad 6 \\ \hline 7\ 1 \end{array}$$

1 ◯ 안에 알맞은 수를 찾고 덧셈을 하여 빈칸을 채우세요.

+ ◯	
26	
	39
38	44

+ ◯	
	43
45	53
44	

+ ◯	
67	70
79	
	81

2 가로, 세로로 놓인 두 수의 합에 맞게 빈칸에 알맞은 수를 쓰세요.

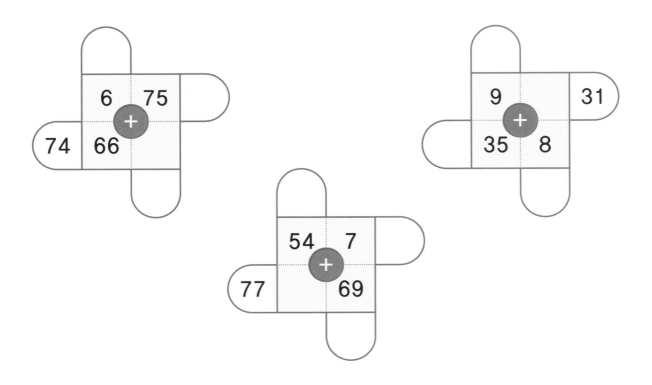

3 □ 안에 들어갈 수 있는 수에 모두 ◯표 하세요.

$58 + \square < 62$

| 2 | 3 | 4 | 5 | 6 | 7 |

$66 + \square > 71$

| 2 | 3 | 4 | 5 | 6 | 7 |

4 관계있는 것끼리 선으로 이으세요.

카드가 24장 있었습니다. 몇 장을 더 사왔더니 모두 32장이 되었습니다.

딸기를 몇 개 땄습니다. 36개 더 땄더니 41개가 되었습니다.

책이 56권 있습니다. 몇 권을 더 가져왔더니 모두 63권이 되었습니다.

$\square + 36 = 41$

$56 + \square = 63$

$24 + \square = 32$

$\square = 7$

$\square = 5$

$\square = 8$

5 닭들이 어제는 달걀을 29개 낳았고, 오늘은 몇 개를 낳았습니다. 어제와 오늘 낳은 달걀이 모두 38개라면 오늘 낳은 달걀은 몇 개인지 □를 사용한 식을 쓰고 답을 구하세요.

식 _____   답 _____ 개

1 덧셈에 맞게 알맞게 선을 이으세요.

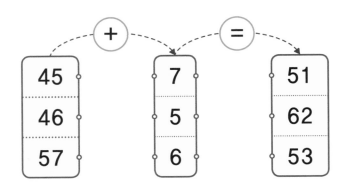

2 도서관에서 어제는 동화책 **42**권을 빌렸고, 오늘은 위인전 **9**권을 빌렸습니다. 모두 몇 권을 빌렸을까요?

식 _____ 답 _____ 권

3 주어진 수를 한 번씩 사용하여 덧셈식을 완성하세요.

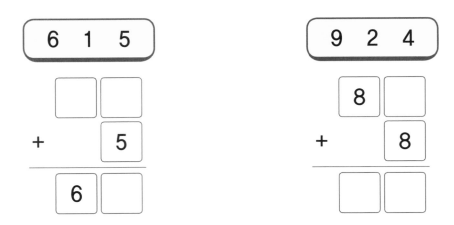

4 민정이가 쿠키를 구웠습니다. 처음에는 **24**개를 구웠고, 다음에는 **7**개를 더 구웠습니다. 민정이가 구운 쿠키는 모두 몇 개일까요?

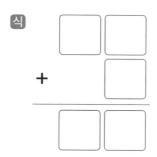

답 [ ] 개

5 덧셈을 하세요.

$$\begin{cases} 68 + 3 \\ 3 + 68 \end{cases}$$ $$\begin{cases} 35 + 7 \\ 7 + 35 \end{cases}$$

6 🌸안의 수가 합이 되는 이웃한 두 수를 모두 찾아 ⬭ 또는 ⟮ ⟯로 묶으세요.

9	25	6
29	5	27
6	24	9

🌸 **33**

🌸 **56**

45	8	48
3	50	4
47	9	42

7 가로, 세로로 놓인 두 수의 합에 맞게 빈칸에 알맞은 수를 쓰세요.

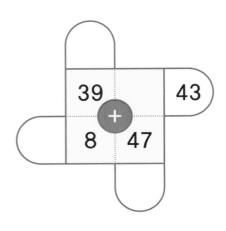
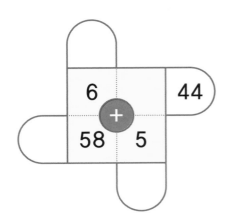

8 ☐ 안에 들어갈 수 있는 수에 모두 ◯표 하세요.

$$47 + \boxed{} < 53$$

| 4 | 5 | 6 | 7 | 8 | 9 |

9 개구리가 연못에 **36**마리, 잔디밭에 몇 마리 있습니다. 연못과 잔디밭에 있는 개구리는 모두 **42**마리입니다. 잔디밭에 있는 개구리는 몇 마리인지 ☐를 사용한 식을 쓰고 답을 구하세요.

식 _____ 답 _____ 마리

뺄셈하기

받아내림이 있는 두 자리 수와 한 자리 수의 뺄셈

(두 자리 수) - (한 자리 수)

뺄셈을 해 봅시다.

$$34 - 7 = 24 + \boxed{3} = \boxed{27}$$

−10 +3

7을 빼는 것은 10을 뺀 후에 3을 더하는 것과 같습니다.

$22 - 6 = 12 + \boxed{} = \boxed{}$

−10 +4

$71 - 7 = \boxed{} + 3 = \boxed{}$

−10 +3

$91 - 8 = 81 + \boxed{} = \boxed{}$

−10 +2

$83 - 9 = \boxed{} + 1 = \boxed{}$

−10 +1

$54 - 5 = 44 + \boxed{} = \boxed{}$

−10 +5

$66 - 8 = \boxed{} + 2 = \boxed{}$

−10 +2

$42 - 3 = 32 + \boxed{} = \boxed{}$

−10 +7

$51 - 4 = \boxed{} + 6 = \boxed{}$

−10 +6

$21 - 8 =$ ☐
$-10 \quad +2$

$43 - 5 =$ ☐
$-10 \quad +5$

$54 - 7 =$ ☐
$-10 \quad +3$

$35 - 6 =$ ☐
$-10 \quad +4$

$82 - 4 =$ ☐
$-10 \quad +6$

$76 - 8 =$ ☐
$-10 \quad +2$

$64 - 9$

$50 - 7$

$32 - 8$

$95 - 8$

$37 - 9$

$61 - 2$

$82 - 4$

$43 - 6$

$55 - 7$

1 관계있는 것끼리 선으로 이으세요.

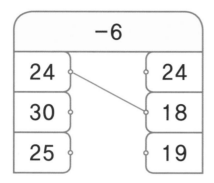

−6	
24	24
30	18
25	19

−8	
72	75
73	65
83	64

−4	
82	67
83	78
71	79

−5	
44	47
53	48
52	39

2 뺄셈에 맞게 알맞게 선을 이으세요.

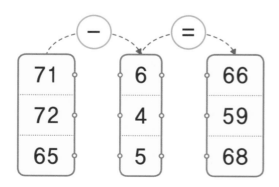

−		=
71	6	66
72	4	59
65	5	68

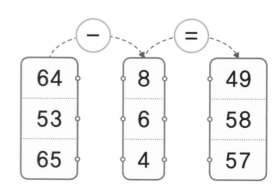

−		=
64	8	49
53	6	58
65	4	57

3 성냥개비를 사용하여 뺄셈식을 만들었습니다. 계산이 맞도록 성냥개비 한 개를 지우세요.

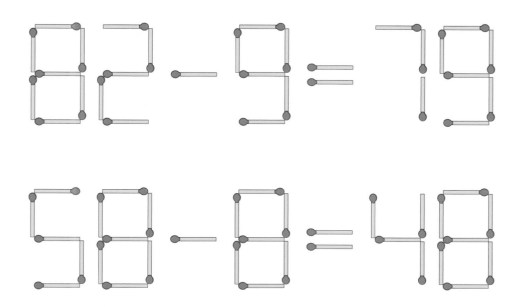

4 정은이는 **73**쪽짜리 동화책을 **8**쪽 읽었습니다. 앞으로 몇 쪽 더 읽어야 할까요?

식 _____ 답 _____ 쪽

5 재호는 생일 선물로 연필을 **24**자루 받았습니다. 그중에서 **9**자루를 남기고 모두 친구에게 주었습니다. 재호가 친구에게 준 연필은 몇 자루일까요?

식 _____ 답 _____ 자루

세로셈으로 뺄셈하기

개념
원리

세로 방식으로 뺄셈을 해 봅시다.

$$
\begin{array}{cc}
 & 5 \quad 3 \\
- & \quad 8 \\
\hline
\end{array}
\Rightarrow
\begin{array}{cc}
\boxed{4} \quad \boxed{10} \\
\cancel{5} \quad 3 \\
- \quad 8 \\
\hline
\end{array}
\Rightarrow
\begin{array}{cc}
\boxed{4} \quad \boxed{10} \\
5 \quad 3 \\
- \quad 8 \\
\hline
5 \\
\end{array}
\Rightarrow
\begin{array}{cc}
\boxed{4} \quad \boxed{10} \\
5 \quad 3 \\
- \quad 8 \\
\hline
\boxed{4} \quad \boxed{5} \\
\end{array}
$$

일의 자리 숫자끼리 뺄셈을 할 수 없으면 십의 자리에서 **10**을 받아내려서 계산합니다.

$$
\begin{array}{cc}
\boxed{5} \quad \boxed{} \\
\cancel{6} \quad 3 \\
- \quad 9 \\
\hline
 \quad
\end{array}
\qquad
\begin{array}{cc}
\boxed{4} \quad \boxed{} \\
\cancel{5} \quad 2 \\
- \quad 6 \\
\hline
 \quad
\end{array}
\qquad
\begin{array}{cc}
\boxed{7} \quad \boxed{} \\
\cancel{8} \quad 7 \\
- \quad 9 \\
\hline
 \quad
\end{array}
$$

$$
\begin{array}{cc}
\boxed{1} \quad \boxed{} \\
\cancel{2} \quad 1 \\
- \quad 4 \\
\hline
 \quad
\end{array}
\qquad
\begin{array}{cc}
\boxed{6} \quad \boxed{} \\
\cancel{7} \quad 3 \\
- \quad 8 \\
\hline
 \quad
\end{array}
\qquad
\begin{array}{cc}
\boxed{2} \quad \boxed{} \\
\cancel{3} \quad 8 \\
- \quad 9 \\
\hline
 \quad
\end{array}
$$

$$
\begin{array}{cc}
\boxed{3} \quad \boxed{} \\
\cancel{4} \quad 5 \\
- \quad 8 \\
\hline
 \quad
\end{array}
\qquad
\begin{array}{cc}
\boxed{8} \quad \boxed{} \\
\cancel{9} \quad 0 \\
- \quad 2 \\
\hline
 \quad
\end{array}
\qquad
\begin{array}{cc}
\boxed{5} \quad \boxed{} \\
\cancel{6} \quad 6 \\
- \quad 7 \\
\hline
 \quad
\end{array}
$$

```
    3  2          6  4          9  6
 -     4       -     8       -     8
 ─────────     ─────────     ─────────


    5  8          2  5          7  3
 -     9       -     7       -     6
 ─────────     ─────────     ─────────


    8  5          4  0          6  1
 -     9       -     9       -     7
 ─────────     ─────────     ─────────


    3  3          9  1          5  2
 -     5       -     6       -     8
 ─────────     ─────────     ─────────


    4  7          8  6          7  4
 -     8       -     9       -     7
 ─────────     ─────────     ─────────
```

1 ☐ 안에 알맞은 수를 쓰세요.

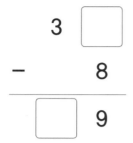

```
    3  □              □  2              6  3
 -     8           -     4           -     □
 ─────────         ─────────         ─────────
    □  9              7  □              □  7
```

2 주어진 수를 한 번씩 사용하여 뺄셈식을 완성하세요.

```
 ┌─ 7   5   6 ─┐
      5   6
 -        9
 ─────────────
      4   7
```

```
 ┌─ 9   1   4 ─┐
      2   □
 -        5
 ─────────────
      □   □
```

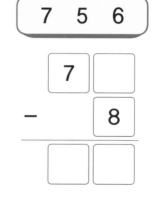

```
 ┌─ 7   5   6 ─┐
      7   □
 -        8
 ─────────────
      □   □
```

```
 ┌─ 8   4   5 ─┐
      9   □
 -        9
 ─────────────
      □   □
```

```
 ┌─ 9   5   4 ─┐
      □   □
 -        6
 ─────────────
      3   □
```

```
 ┌─ 6   3   4 ─┐
      □   □
 -        7
 ─────────────
      3   □
```

3 주어진 수를 한 번씩 사용하여 뺄셈식을 만드세요.

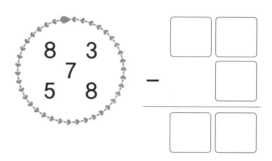

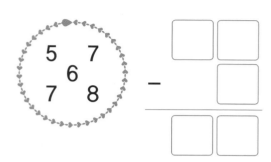

4 진호는 8층에서 엘리베이터를 타고 31층까지 올라갔습니다. 엘리베이터로 몇 층을 올라갔을까요?

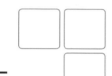

답 ▢ 층

5 할머니의 연세는 할아버지의 연세보다 6살 적습니다. 할아버지의 연세가 74세라면 할머니의 연세는 몇 세일까요?

답 ▢ 세

두 수의 차

개념
원리

두 수의 차를 구해 봅시다.

8, 64

$$\boxed{64} - \boxed{8} = \boxed{56}$$

두 수의 차를 구할 때는
큰 수에서 작은 수를 뺍니다.

55, 7

31, 3

$$\boxed{} - \boxed{} = \boxed{}$$

9, 25

2, 50

$$\boxed{} - \boxed{} = \boxed{}$$

65, 8

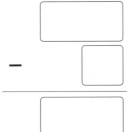

85, 6

$$\boxed{} - \boxed{} = \boxed{}$$

6, 94

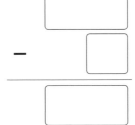

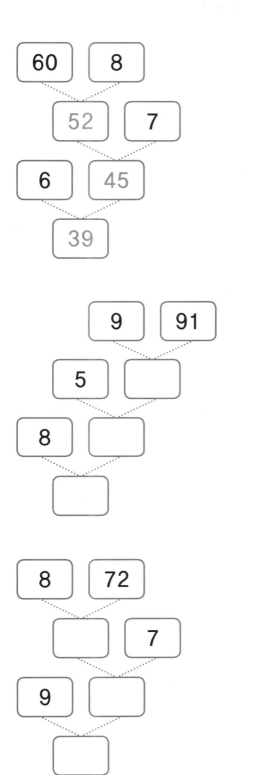

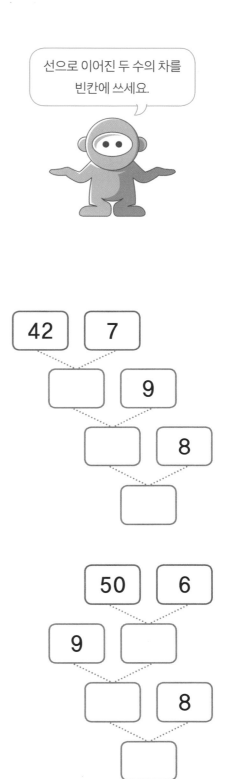

선으로 이어진 두 수의 차를 빈칸에 쓰세요.

1 차가 ⬤ 안의 수가 되는 두 수를 모두 색칠하세요.

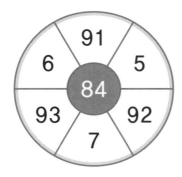
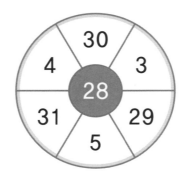

2 ✿ 안의 수가 차가 되는 이웃한 두 수를 모두 찾아 ◯ 또는 ◯로 묶으세요.

72	9	71
8	70	6
74	7	73

4	51	5
52	7	50
9	53	6

64	7	62
5	65	4
60	6	61

7	43	5
46	6	45
9	47	8

3 수 배열표의 일부입니다. 같은 모양의 수끼리 차를 구하세요.

	4	★	6	◆	8	♥
13		15				
				27		
		◆			39	
♥			46			
53	★			58		

★: ☐ − ☐ = ☐

◆: ☐ − ☐ = ☐

♥: ☐ − ☐ = ☐

4 알맞은 말에 ◯표 하고 식을 완성하세요.

오렌지가 8개, 딸기가 52개 있습니다.
(오렌지 , 딸기)는 (오렌지 , 딸기)보다 몇 개 더 많을까요?

식 _____   답 _____ 개

자전거가 45대, 자동차가 9대 있습니다.
(자전거 , 자동차)는 (자전거 , 자동차)보다 몇 대 더 많을까요?

식 _____   답 _____ 대

□가 있는 뺄셈

뺄셈식을 덧셈식으로 나타내고 □의 값을 구해 봅시다.

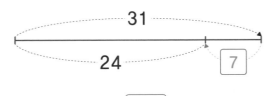

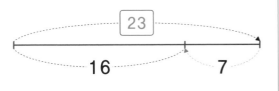

뺄셈식을 덧셈식으로 나타내어 □의 값을 구합니다.

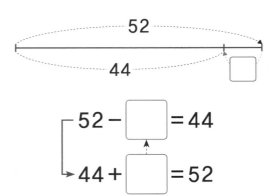

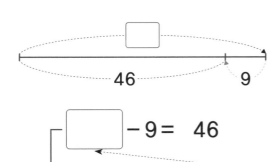

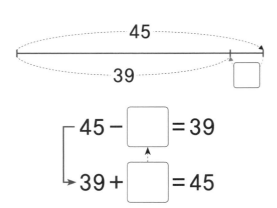

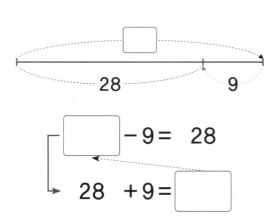

$63 - \boxed{} = 56$

$56 + \boxed{} = 63$

$\boxed{} - 8 = 39$

$39 + 8 = \boxed{}$

$74 - \boxed{} = 68$

$68 + \boxed{} = 74$

$\boxed{} - 8 = 32$

$32 + 8 = \boxed{}$

$36 - \boxed{} = 27$

$\boxed{} - 6 = 58$

$92 - \boxed{} = 87$

$53 - \boxed{} = 46$

$\boxed{} - 9 = 32$

$75 - \boxed{} = 69$

$24 - \boxed{} = 17$

$\boxed{} - 8 = 79$

$63 - \boxed{} = 58$

1 계산 결과에 맞게 길을 그리세요.

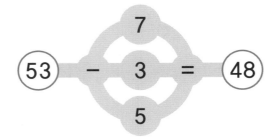

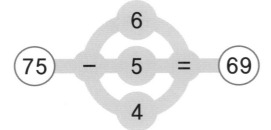

2 ◯ 안에 알맞은 수를 쓰고 관계있는 것끼리 선으로 이으세요.

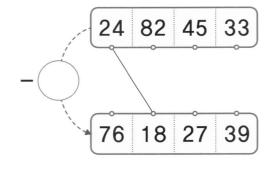

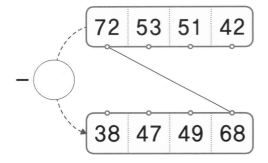

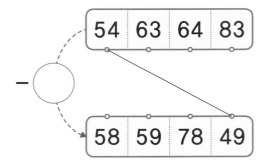

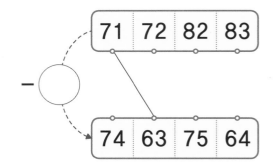

3 □ 안에 들어갈 수 있는 수에 모두 ◯표 하세요.

$52 - □ < 48$

2	3	4	5	6	7

$31 - □ > 27$

2	3	4	5	6	7

4 다음과 같이 어떤 수를 □라 하여 식을 세우고 어떤 수를 구하세요.

52에서 어떤 수를 뺀 수는 44보다 4 큰 수입니다.   식 $52 - □ = 48$
52   −□   48 $□ = 4$

31에서 어떤 수를 뺀 수는 19보다 7 큰 수입니다.   식

$□ =$ _____

어떤 수에서 8을 뺀 수는 58보다 7 큰 수입니다.   식

$□ =$ _____

1 계산에 맞게 알맞게 선을 이으세요.

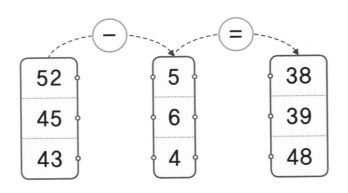

2 수영이는 장미 33송이를 샀습니다. 그중에서 7송이를 남기고 나머지를 선생님께 드렸습니다. 선생님께 드린 장미는 몇 송이일까요?

식 _____   답 _____ 송이

3 주어진 세 수를 한 번씩 사용하여 뺄셈식을 완성하세요.

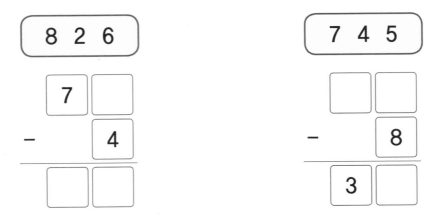

4   성호의 이모는 **44**살입니다. 어머니는 이모보다 **6**살 어립니다. 성호의 어머니는 몇 살일까요?

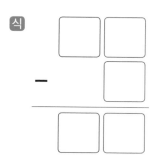

 세

5   두 수의 차를 구하세요.

64 , 7

□ − □ = □

6   안의 수가 차가 되는 이웃한 두 수를 모두 찾아 ⬭ 또는 ◯로 묶으세요.

57	9	52
6	55	8
53	7	54

75	8	74
2	68	9
71	6	72

7 알맞은 말에 ◯표 하고 식을 완성하세요.

위인전이 **9**권, 동화책이 **34**권 있습니다.
(위인전 , 동화책)은 (위인전 , 동화책)보다 몇 권 더 많을까요?

식 _____   답 _____ 권

8 ◯ 안에 알맞은 수를 쓰고 관계있는 것끼리 선으로 이으세요.

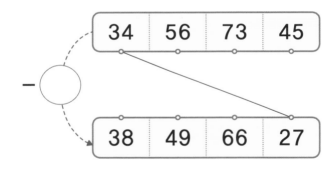

9 ☐ 안에 들어갈 수 있는 수에 모두 ◯표 하세요.

$63 - \square < 59$

| 2 | 3 | 4 | 5 | 6 | 7 |

3주차

덧셈과 뺄셈

두 자리 수와 한 자리 수의 덧셈과 뺄셈의 혼합

덧셈과 뺄셈

개념
원리

그림을 보고 덧셈과 뺄셈을 해 봅시다.

24	8
32	

두 수의 합에서 한 수를 빼면 나머지 한 수가 됩니다.

●+■=◆ → ◆−●=■
→ ◆−■=●

$24 + 8 = \boxed{32}$

$8 + 24 = \boxed{32}$

$32 - 8 = \boxed{24}$

48	5
53	

$48 + 5 = \boxed{}$

$5 + 48 = \boxed{}$

$53 - 5 = \boxed{}$

56	9
65	

$56 + 9 = \boxed{}$

$9 + 56 = \boxed{}$

$65 - 9 = \boxed{}$

37	7
44	

$37 + 7 = \boxed{}$

$7 + 37 = \boxed{}$

$44 - 7 = \boxed{}$

25	6
31	

$25 + 6 = \boxed{}$

$6 + 25 = \boxed{}$

$31 - 6 = \boxed{}$

43+8   72−4   57+5

31−2   63+9   44−9

86+5   54−7   49+4

36−8   64+6   91−8

```
    4 6              7 2              5 2
  +   7            −   7            +   9
  ─────            ─────            ─────
```

```
    8 8              2 6              4 5
  −   9            +   8            −   8
  ─────            ─────            ─────
```

1 이웃한 세 수를 묶은 다음, 가로 또는 세로 방향으로 **+** 또는 **−**와 **=**를 넣어 덧셈식과 뺄셈식 **3**개를 만드세요.

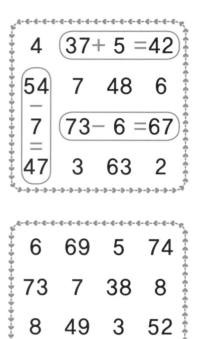

5	91	2	89
64	4	72	7
6	38	8	46
62	9	71	3

6	69	5	74
73	7	38	8
8	49	3	52
65	4	62	2

40	3	62	2
2	17	4	89
38	8	58	3
11	26	7	33

2 두 자리 수와 한 자리 수의 덧셈식 또는 **뺄셈식**에 맞게 꿀벌이 지나가는 길을 그리고, 식을 쓰세요.

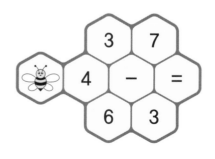

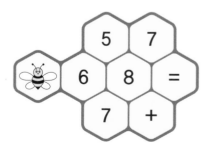

3 오른쪽 표는 과일 가게에 있는 과일의 수입니다.
   관계있는 것끼리 선으로 잇고 ☐ 안에 알맞은 수를
   쓰세요.

종류	딸기 🍓	사과 🍎	참외 🍈
과일의 수	54	9	7

딸기는 사과보다 몇 개 더
많을까요?

$54 + 9 = $ ☐

딸기와 참외는 모두 몇 개
일까요?

$54 - 9 = $ ☐

딸기는 참외보다 몇 개 더
많을까요?

$54 + 7 = $ ☐

딸기와 사과는 모두 몇 개
일까요?

$54 - 7 = $ ☐

4 주차장에 택시 65대, 버스 8대가 있습니다. 물음에 맞게 식과 답을 쓰세요.

택시와 버스는 모두 몇 대일까요?

식 _____   답 _____ 대

택시는 버스보다 몇 대 더 많을까요?

식 _____   답 _____ 대

□가 있는 덧셈과 뺄셈

 개념 원리

□ 안에 알맞은 수를 넣고, 식을 완성하여 봅시다.

35	6
41	

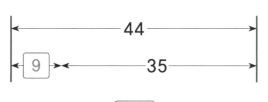

$$35 + \boxed{6} = 41$$

$$44 - \boxed{9} = 35$$

	5
53	

$$\boxed{} + 5 = 53$$

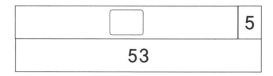

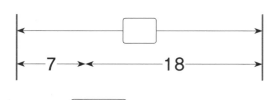

$$\boxed{} - 7 = 18$$

52	□
61	

$$52 + \boxed{} = 61$$

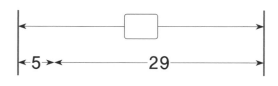

$$\boxed{} - 5 = 29$$

	7
73	

$$\boxed{} + 7 = 73$$

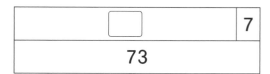

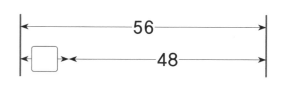

$$56 - \boxed{} = 48$$

$78 + \boxed{} = 83$

$\boxed{} - 7 = 37$

$52 + \boxed{} = 61$

$22 - \boxed{} = 19$

$\boxed{} + 5 = 73$

$85 - \boxed{} = 79$

$85 + \boxed{} = 93$

$\boxed{} - 9 = 27$

$47 + \boxed{} = 51$

$54 - \boxed{} = 48$

$\boxed{} + 7 = 82$

$25 - \boxed{} = 16$

$$\begin{array}{r} 3\ 8 \\ +\ \boxed{} \\ \hline 4\ 1 \end{array}$$

$$\begin{array}{r} 6\ 1 \\ -\ \boxed{} \\ \hline 5\ 9 \end{array}$$

$$\begin{array}{r} 5\ 4 \\ +\ \boxed{} \\ \hline 6\ 2 \end{array}$$

$$\begin{array}{r} \boxed{} \\ -\ \ \ 8 \\ \hline 8\ 9 \end{array}$$

$$\begin{array}{r} \boxed{} \\ +\ \ \ 9 \\ \hline 5\ 6 \end{array}$$

$$\begin{array}{r} \boxed{} \\ -\ \ \ 7 \\ \hline 7\ 7 \end{array}$$

1 일정한 규칙에 따라 수를 쓴 것입니다. 빈 곳에 알맞은 수를 쓰세요.

29 ➡ 31	74 ➡ 66	35 ➡ 42
60 ➡ 62	53 ➡ 45	46 ➡ 53
48 ➡ 50	47 ➡ 39	64 ➡ 71
39 ➡ ◯	65 ➡ ◯	87 ➡ ◯

2 같은 모양은 같은 수를 나타냅니다. ☐ 안에 알맞은 수를 쓰세요.

$$74 + \blacksquare = 82$$
$$51 - \blacksquare = \boxed{43}$$

$$36 - \text{◖} = 31$$
$$\text{◖} + 48 = \boxed{}$$

$$\pentagon - 7 = 45$$
$$9 + \pentagon = \boxed{}$$

$$\blacktriangle + 8 = 83$$
$$\blacktriangle - 6 = \boxed{}$$

3 1부터 9까지의 수 중 □ 안에 들어갈 수 있는 수를 모두 쓰세요.

$$78 + \boxed{} < 82$$

$$21 - \boxed{} < 17$$

_____

_____

4 다음과 같이 어떤 수를 구하고 바르게 계산하세요.

어떤 수에 7을 더해야 할 것을 잘못하여 9를 뺐더니 24가 되었습니다. 바르게
계산하면 얼마일까요?

어떤 수 구하기: 식 $\boxed{} - 9 = 24$ $\boxed{} =$ 33

바르게 계산하기: 식 $33 + 7 = 40$ 답   40

어떤 수에서 8을 빼야 할 것을 잘못하여 5를 더했더니 81이 되었습니다. 바르게 계산
하면 얼마일까요?

어떤 수 구하기: 식 _____ $\boxed{} =$ _____

바르게 계산하기: 식 _____   답 _____

어떤 수에 9를 더해야 할 것을 잘못하여 7을 뺐더니 55가 되었습니다. 바르게 계산하
면 얼마일까요?

어떤 수 구하기: 식 _____ $\boxed{} =$ _____

바르게 계산하기: 식 _____   답 _____

두 수의 합과 차를 구해 봅시다.

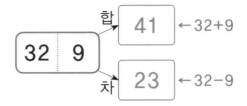

32와 9의 합은 32＋9＝41이고
32와 9의 차는 32－9＝23입니다.
차는 큰 수에서 작은 수를 뺍니다.

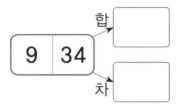

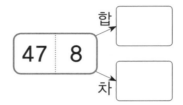

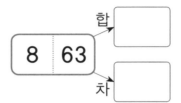

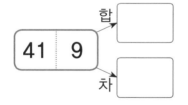

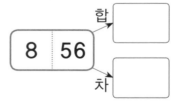

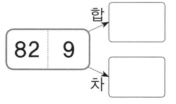

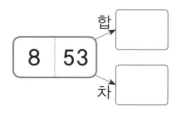

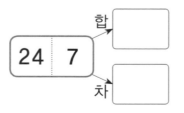

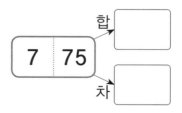

$63 - 6 \;(\;>\;)\; 48 + 8$

$34 + 8 \;\bigcirc\; 46 - 4$

○ 안에는 >, =, <를,
□ 안에는 수를 쓰세요.

$72 - 7 \;\bigcirc\; 59 + 8$

$27 + 4 \;\bigcirc\; 40 - 9$

$18 + 5 \;\bigcirc\; 31 - 9$

$82 - 8 \;\bigcirc\; 69 + 6$

$38 + 8 = \boxed{52} - 6$

$\boxed{} + 6 = 70 - 9$

$45 + \boxed{} = 61 - 8$

$49 + 9 = 62 - \boxed{}$

$\boxed{} + 9 = 41 - 9$

$78 + 7 = \boxed{} - 7$

$38 + 9 = 54 - \boxed{}$

$57 + \boxed{} = 73 - 7$

1 왼쪽은 두 수의 합, 오른쪽은 두 수의 차입니다. 두 수를 찾아 모두 ◯표 하세요.

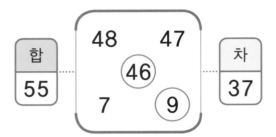

합 55

48 47
(46)
7 (9)

차 37

합 81

8 74
72
7 73

차 67

합 72

65 67
66
6 7

차 58

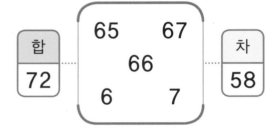

합 40

31 9
32
8 33

차 22

합 63

56 6
57
7 58

차 51

합 33

24 8
25
26 9

차 15

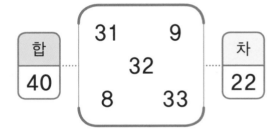

합 52

46 48
47
7 6

차 40

합 63

53 55
54
8 7

차 47

2 카드에 쓰인 수의 합은 51입니다. 두 수의 차는 얼마일까요?

$$43 \quad \square \qquad \boxed{}$$

3 어떤 두 수의 합이 21이고, 차가 9입니다. 두 수는 각각 얼마일까요?

$$\boxed{} , \boxed{}$$

4 형과 동생이 군밤 34개를 나누어 먹었습니다. 형이 동생보다 16개를 더 먹었습니다. 형과 동생이 먹은 군밤 개수를 알아봅시다.

형과 동생이 먹은 군밤의 합과 차는 각각 얼마일까요?

합: $\boxed{}$, 차: $\boxed{}$

합과 차에 맞게 두 수를 구하세요.

두 수: $\boxed{}$, $\boxed{}$

형과 동생이 먹은 군밤은 각각 몇 개일까요?

형: $\boxed{}$ 개, 동생: $\boxed{}$ 개

숫자 카드 덧셈과 뺄셈

개념
원리

계산 결과에 맞게 카드의 숫자를 한 번씩 사용하여 덧셈식 또는 뺄셈식을 만들어 봅시다.

| 7 | 3 | 8 |

7 3 + 8 = 81   3 7 − 8 = 29

8 3 + 7 = 90   8 3 − 7 = 76

숫자 카드 두 장으로 두 자리 수를 만들고, 나머지 한 장으로 한 자리 수를 만듭니다.

| 9 | 5 | 7 |

☐☐ + ☐ = 66   ☐☐ − ☐ = 66

☐☐ + ☐ = 84   ☐☐ − ☐ = 48

| 6 | 2 | 8 |

☐☐ + ☐ = 34   ☐☐ − ☐ = 54

☐☐ + ☐ = 70   ☐☐ − ☐ = 18

| 8 | 4 | 6 |

계산 결과에 맞게 숫자 카드를
한 번씩 사용하여 식을 완성하세요.

$$\boxed{4}\ \boxed{6} + \boxed{8} = 54$$

$$\boxed{6}\ \boxed{4} + \boxed{8} = 72$$

$$\boxed{8}\ \boxed{4} + \boxed{6} = 90$$

| 3 | 7 | 8 |

$$\boxed{}\ \boxed{} + \boxed{} = 45$$

$$\boxed{}\ \boxed{} + \boxed{} = 81$$

$$\boxed{}\ \boxed{} + \boxed{} = 90$$

| 2 | 9 | 1 |

$$\boxed{}\ \boxed{} - \boxed{} = 89$$

$$\boxed{}\ \boxed{} - \boxed{} = 12$$

$$\boxed{}\ \boxed{} - \boxed{} = 3$$

| 5 | 7 | 6 |

$$\boxed{}\ \boxed{} + \boxed{} = 63$$

$$\boxed{}\ \boxed{} + \boxed{} = 81$$

$$\boxed{}\ \boxed{} + \boxed{} = 72$$

| 4 | 3 | 9 |

$$\boxed{}\ \boxed{} - \boxed{} = 34$$

$$\boxed{}\ \boxed{} - \boxed{} = 25$$

$$\boxed{}\ \boxed{} - \boxed{} = 89$$

1 주어진 숫자를 한 번씩 사용하여 계산 결과가 가장 큰 덧셈식과 계산 결과가 가장 작은 뺄셈식
   을 만들고 계산하세요.

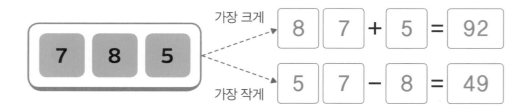

가장 크게 8 7 + 5 = 92

가장 작게 5 7 − 8 = 49

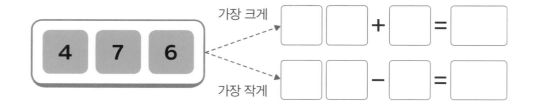

가장 크게   +   =

가장 작게   −   =

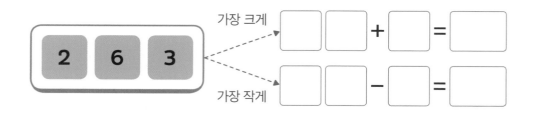

가장 크게   +   =

가장 작게   −   =

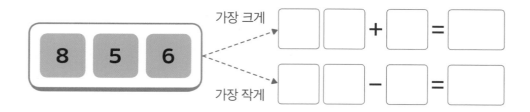

가장 크게   +   =

가장 작게   −   =

2 계산기의 색칠된 버튼을 한 번씩 눌렀습니다. 주어진 계산 결과가 나오도록 식을 쓰세요.

_____

_____

3 숫자 카드 3 , 8 , 2 를 한 번씩만 사용하여 두 자리 수와 한 자리 수를 만듭니다. 만든 두 수의 합이 가장 작을 때의 식과 답을 쓰세요.

식 [ ] [ ] + [ ] = [ ]   답 [ ]

4 1부터 9까지의 숫자 카드 중 2장을 뽑아 64를 만들었습니다. 남은 카드 중에서 3장을 뽑아 다음 뺄셈식을 완성하세요. (두 가지 방법이 있습니다.)

[ ] [ ] − [ ] = 6 4

[ ] [ ] − [ ] = 6 4

1 이웃한 세 수를 묶은 다음, 가로 또는 세로 방향으로 + 또는 −와 =를 넣어 덧셈식과 뺄셈식 3개를 만드세요.

33	5	72	4
7	67	8	75
26	7	46	9
6	51	3	48

8	64	6	71
48	7	55	5
4	69	2	66
63	9	72	3

2 같은 모양은 같은 수를 나타냅니다. ☐ 안에 알맞은 수를 쓰세요.

$$43 - \blacklozenge = 38$$
$$78 + \blacklozenge = \boxed{}$$

$$\blacktriangledown + 8 = 72$$
$$\blacktriangledown - 7 = \boxed{}$$

3 1부터 9까지의 수 중 ☐ 안에 들어갈 수 있는 수를 모두 쓰세요.

$$58 - \boxed{} < 53$$

4 어떤 수에 9를 더할 것을 잘못하여 7을 뺐더니 55가 되었습니다. 바르게 계산하면 얼마일 까요?

어떤 수 구하기: 식 ＿＿＿＿＿＿＿＿＿＿＿ □ = ＿＿＿＿＿＿

바르게 계산하기: 식 ＿＿＿＿＿＿＿＿＿＿＿ 답 ＿＿＿＿＿＿

5 왼쪽은 두 수의 합, 오른쪽은 두 수의 차입니다. 두 수를 찾아 모두 ◯표 하세요.

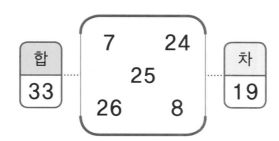

6 체육관에 배구공과 농구공이 모두 54개 있습니다. 배구공이 농구공보다 38개 더 많습니다. 배구공과 농구공의 수를 알아봅시다.

배구공과 농구공 수의 합과 차는 각각 얼마일까요? 합: ☐ , 차: ☐

합과 차에 맞게 두 수를 구하세요. 두 수: ☐ , ☐

배구공과 농구공은 각각 몇 개 있을까요? 배구공: ☐ 개, 농구공: ☐ 개

7 계산 결과에 맞게 숫자 카드를 한 번씩 사용하여 식을 완성하세요.

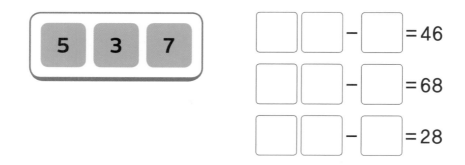

8 주어진 숫자를 한 번씩 사용하여 계산 결과가 가장 큰 덧셈식과 계산 결과가 가장 작은 뺄셈식을 만들고 계산하세요.

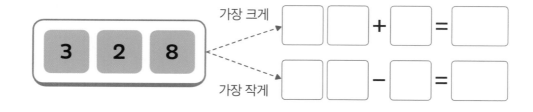

9 숫자 카드 6, 5, 7 을 한 번씩 사용하여 두 자리 수와 한 자리 수를 만듭니다. 만든 두 수의 차가 가장 클 때의 식과 답을 쓰세요.

식 _____   답 _____

4주차

세 수의 계산

덧셈과 뺄셈이 혼합된 세 수의 계산

1일

173 더하고 더하기

개념
원리

세 수의 덧셈을 해 봅시다.

$38 + 4 + 5 = \boxed{42} + 5 = \boxed{47}$

$38 + 4 + 5 = 38 + \boxed{9} = \boxed{47}$

$38 + 4 + 5 = \boxed{43} + 4 = \boxed{47}$

세 수의 덧셈은 순서에 상관없이 두 수를 더하고 남은 한 수를 더합니다.

$56 + 5 + 8 = \boxed{} + 8$

$= \boxed{}$

$34 + 7 + 2 = 34 + \boxed{}$

$= \boxed{}$

$43 + 8 + 9 = \boxed{} + 8$

$= \boxed{}$

$26 + 6 + 2 = \boxed{} + 2$

$= \boxed{}$

$87 + 7 + 4 = \boxed{} + 4$

$= \boxed{}$

$78 + 5 + 3 = \boxed{} + 5$

$= \boxed{}$

$48 + 8 + 7 = \boxed{} + 7$

$ = \boxed{}$

$53 + 7 + 4 = \boxed{} + 4$

$ = \boxed{}$

$86 + 3 + 5 = 86 + \boxed{}$

$ = \boxed{}$

$28 + 3 + 4 = 28 + \boxed{}$

$ = \boxed{}$

$78 + 3 + 4 = \boxed{} + 3$

$ = \boxed{}$

$66 + 7 + 6 = \boxed{} + 7$

$ = \boxed{}$

$67 + 4 + 5 = \boxed{}$

$58 + 7 + 6 = \boxed{}$

$79 + 2 + 4 = \boxed{}$

$25 + 9 + 6 = \boxed{}$

$36 + 5 + 5 = \boxed{}$

$43 + 7 + 8 = \boxed{}$

1 ◯안의 수가 합이 되는 세 수를 찾아 모두 ◯표 하세요.

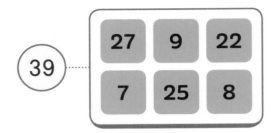

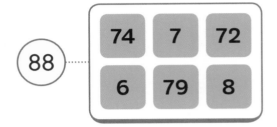

2 주어진 수 중 세 수의 합이 ⬚안의 수가 됩니다. 필요 없는 두 수에 ✕표 하세요.

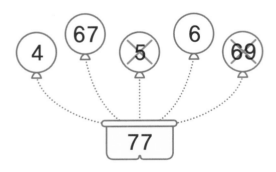

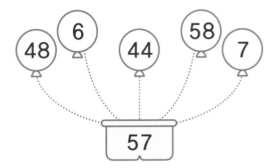

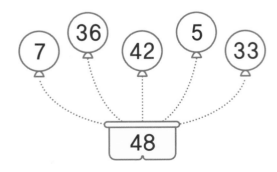

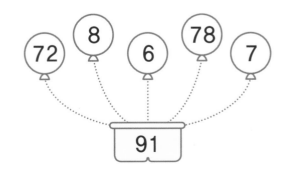

3   다음과 같이 세 수의 합에 맞게 +를 하나 지우고 올바른 식을 쓰세요.

3 + 4 ≠ 6 + 7 = 56 ➡   3+46+7=56

4 + 3 + 8 + 7 = 49 ➡ _____

6 + 7 + 5 + 4 = 76 ➡ _____

5 + 3 + 7 + 8 = 86 ➡ _____

4   색종이를 승호는 28장, 진우는 6장, 민우는 진우보다 3장 더 가지고 있습니다. 물음에 맞게
식과 답을 쓰세요.

민우가 가진 색종이는 몇 장일까요?

식 _____   답 _____ 장

승호, 진우, 민우가 가진 색종이는 모두 몇 장일까요?

식 _____   답 _____ 장

빼고 빼기

개념
원리

두 가지 방법으로 세 수의 **뺄셈**을 해 봅시다.

$$32 - 6 - 3 = \boxed{26} - 3 = \boxed{23}$$

앞의 두 수를 계산한 다음 나머지 수를 계산합니다.

$$32 - 6 - 3 = 32 - \boxed{9} = \boxed{23}$$

빼고 뺄 때는 모아서 뺄 수 있습니다.

$$63 - 4 - 5 = \boxed{} - 5$$
$$= \boxed{}$$

$$55 - 7 - 6 = \boxed{} - 6$$
$$= \boxed{}$$

$$71 - 2 - 2 = 71 - \boxed{}$$
$$= \boxed{}$$

$$94 - 6 - 2 = 94 - \boxed{}$$
$$= \boxed{}$$

$72 - 5 - 4 = \boxed{} - 4$

$= \boxed{}$

$64 - 6 - 3 = 64 - \boxed{}$

$= \boxed{}$

$95 - 9 - 2 = \boxed{} - 2$

$= \boxed{}$

$42 - 3 - 4 = 42 - \boxed{}$

$= \boxed{}$

$83 - 1 - 6 = \boxed{} - 6$

$= \boxed{}$

$51 - 4 - 4 = 51 - \boxed{}$

$= \boxed{}$

$30 - 2 - 3 = \boxed{}$

$66 - 9 - 4 = \boxed{}$

$54 - 5 - 3 = \boxed{}$

$45 - 6 - 2 = \boxed{}$

$72 - 5 - 2 = \boxed{}$

$93 - 7 - 3 = \boxed{}$

1 사다리를 타고 내려가는 길의 계산에 맞게 빈칸에 알맞은 수를 쓰세요.

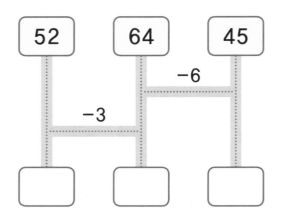

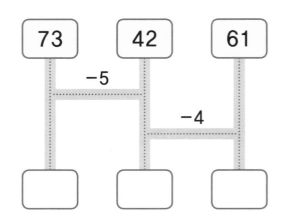

2 계산 결과에 맞게 길을 그리세요.

43 −5 −2 = 36
    −4 −5

56 −2 −3 = 50
    −1 −4

67 −7 −1 = 58
    −8 −4

35 −5 −4 = 27
    −6 −2

3 약속에 맞게 계산을 하세요.

 ◎ ▲ = − ▲ − ▲

53 ◎ 4 = □ − □ − □

= □

81 ◎ 5 = □ − □ − □

= □

4 52에서 2를 빼고 4를 빼는 것은 52에서 얼마를 빼는 것과 같을까요?

□

5 민재는 63쪽짜리 동화책을 오전에 4쪽 읽고, 오후에 5쪽 읽었습니다. 민재가 동화책을 다 읽으려면 앞으로 몇 쪽 더 읽어야 할까요?

식 _____   답 _____ 쪽

6 승준이는 동생과 함께 감을 31개 따서 6개씩 먹었습니다. 남은 감은 몇 개일까요?

식 _____   답 _____ 개

세 수의 계산

개념
원리

두 가지 방법으로 세 수의 계산을 해 봅시다.

$42 - 6 + 9 =$ ☐36☐ $+ 9$

$=$ ☐45☐

42와 6의 차를 구한 다음
그 계산 결과에 9를 더합니다.

$42 - 6 + 9 = 42 +$ ☐3☐

$=$ ☐45☐

6를 빼고 9를 더하는 것은
3을 더하는 것과 같습니다.

$+$ ☐3☐

☐42☐ $\xrightarrow{-6}$ ☐36☐ $\xrightarrow{+9}$ ☐45☐

$75 + 6 - 8 =$ ☐☐ $- 8$

$=$ ☐☐

$75 + 6 - 8 = 75 -$ ☐☐

$=$ ☐☐

$-$ ☐☐

☐75☐ $\xrightarrow{+6}$ ☐☐ $\xrightarrow{-8}$ ☐☐

$61 - 5 + 7 =$ ☐☐ $+ 7$

$=$ ☐☐

$61 - 5 + 7 = 61 +$ ☐☐

$=$ ☐☐

$+$ ☐☐

☐61☐ $\xrightarrow{-5}$ ☐☐ $\xrightarrow{+7}$ ☐☐

$27 + 4 - 6 = \boxed{} - 6$

$ = \boxed{}$

$53 - 6 + 2 = 53 - \boxed{}$

$ = \boxed{}$

$74 - 7 + 3 = \boxed{} + 3$

$ = \boxed{}$

$35 + 6 - 2 = 35 + \boxed{}$

$ = \boxed{}$

$45 + 8 - 6 = \boxed{} - 6$

$ = \boxed{}$

$64 - 7 + 4 = 64 - \boxed{}$

$ = \boxed{}$

$82 + 3 - 5 = \boxed{}$

$35 - 6 + 3 = \boxed{}$

$50 - 3 + 7 = \boxed{}$

$79 + 8 - 4 = \boxed{}$

$47 + 4 - 2 = \boxed{}$

$61 - 9 + 4 = \boxed{}$

1 다음과 같이 두 가지 방법으로 계산을 하세요.

$$28+7-8 = \quad 35-8 \qquad\qquad 28+7-8 = \quad 28-1$$
$$= \quad 27 \qquad\qquad\qquad\qquad = \quad 27$$

$$62-5+7 = \rule{3cm}{0.4pt} \qquad\qquad 62-5+7 = \rule{3cm}{0.4pt}$$
$$= \rule{3cm}{0.4pt} \qquad\qquad\qquad\qquad = \rule{3cm}{0.4pt}$$

$$77+6-8 = \rule{3cm}{0.4pt} \qquad\qquad 77+6-8 = \rule{3cm}{0.4pt}$$
$$= \rule{3cm}{0.4pt} \qquad\qquad\qquad\qquad = \rule{3cm}{0.4pt}$$

2 ○안에 **+** 또는 **−**를 넣으세요.

$$65 \; \boxed{-} \; 7 \; \boxed{+} \; 4 = 62 \qquad\qquad 24 \; \bigcirc \; 6 \; \bigcirc \; 3 = 33$$

$$49 \; \bigcirc \; 2 \; \bigcirc \; 7 = 44 \qquad\qquad 73 \; \bigcirc \; 8 \; \bigcirc \; 6 = 71$$

$$52 \; \bigcirc \; 6 \; \bigcirc \; 5 = 51 \qquad\qquad 91 \; \bigcirc \; 4 \; \bigcirc \; 5 = 82$$

3 다음과 같이 ☐ 안에 들어갈 수를 구하는 식과 답을 쓰세요. ☐ 안에 알맞은 수를 구하세요.

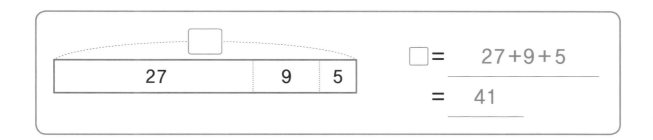

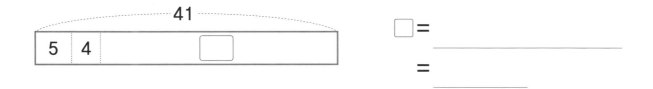

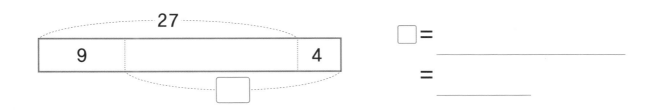

4 빨간색 구슬 15개, 파란색 구슬 8개가 있습니다. 노란색 구슬은 빨간색 구슬과 파란색 구슬의 개수의 합보다 9개 적다면 노란색 구슬은 몇 개일까요?

식 _____   답 _____ 개

거꾸로 계산하기

거꾸로 계산해 봅시다.

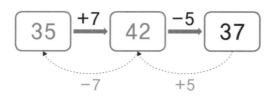

거꾸로 계산할 때는
+는 −로, −는 +로 계산합니다.

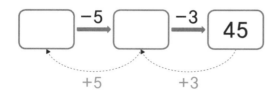

$\square$ −5 $\square$ −3 45
+5 +3

$\square$ +6 $\square$ −7 47
−6 +7

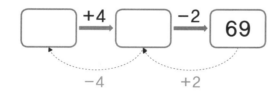

$\square$ +4 $\square$ −2 69
−4 +2

$\square$ −2 $\square$ +8 87
+2 −8

$\square$ −6 $\square$ +5 32

$\square$ +3 $\square$ −5 76

$\square$ +3 $\square$ +4 66

$\square$ −5 $\square$ +2 93

$\boxed{} + 3 + 5 = 82$

$\boxed{} + 5 - 3 = 79$

$\boxed{} - 7 + 5 = 34$

$\boxed{} - 7 - 2 = 53$

$\boxed{} + 2 - 6 = 85$

$\boxed{} + 8 - 4 = 38$

$\boxed{} - 8 + 5 = 43$

$\boxed{} - 6 + 2 = 19$

$\boxed{} + 6 + 2 = 35$

$\boxed{} + 4 - 3 = 88$

$\boxed{} - 9 + 6 = 92$

$\boxed{} - 3 + 1 = 70$

$\boxed{} + 7 - 2 = 21$

$\boxed{} - 6 - 3 = 84$

$\boxed{} - 9 + 5 = 42$

$\boxed{} + 7 - 4 = 60$

1 사다리를 타고 내려가는 길의 계산에 맞게 빈칸에 알맞은 수를 쓰세요.

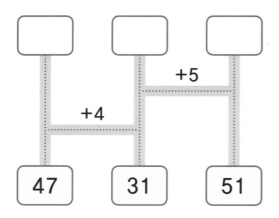

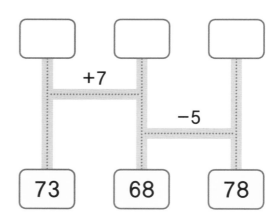

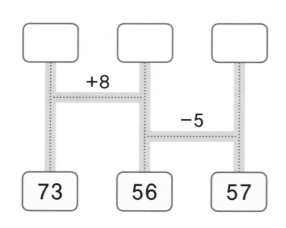

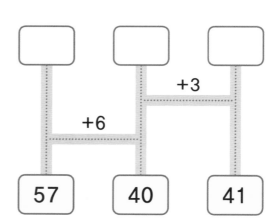

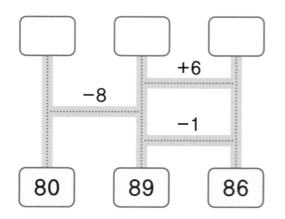

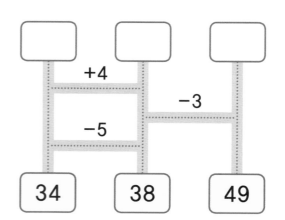

2 어떤 수를 ☐라 하여 식을 세우고 ☐를 구하세요.

어떤 수에 7을 더하고 5를 뺐더니 32가 되었습니다. 어떤 수는 얼마일까요?

식 _____   ☐ = _____

어떤 수에서 9를 빼고 6을 더하였더니 71이 되었습니다. 어떤 수는 얼마일까요?

식 _____   ☐ = _____

3 ☐를 사용한 식을 세우고 답을 쓰세요.

버스에 사람이 몇 명 타고 있었습니다. 이번 정류장에서 5명이 내리고 8명이 탔더니 모두 37명이 되었습니다. 처음 버스에 타고 있던 사람은 몇 명일까요?

식 _____   답 _____ 명

영진이와 민재가 퍼즐 맞추기를 하고 있습니다. 영진이가 퍼즐 5조각, 민재가 4조각을 맞추었고 47조각이 남아 있습니다. 퍼즐은 모두 몇 조각일까요?

식 _____   답 _____ 조각

1 ◯ 안의 수가 합이 되는 세 수를 찾아 모두 ◯표 하세요.

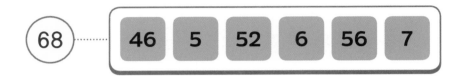

2 딸기를 영재는 34개, 현아는 7개, 은정이는 현아보다 1개 더 먹었습니다. 물음에 맞게 식과 답을 쓰세요.

은정이가 먹은 딸기는 몇 개일까요?

식 _____   답 _____ 개

영재, 현아, 은정이가 먹은 딸기는 모두 몇 개일까요?

식 _____   답 _____ 개

3 계산 결과에 맞게 길을 그리세요.

4 사다리를 타고 내려가는 길의 계산에 맞게 빈칸에 알맞은 수를 쓰세요.

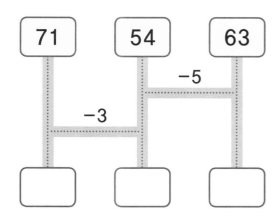

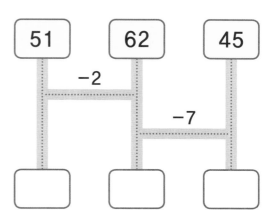

5 두 가지 방법으로 계산을 하세요.

$64 - 3 + 9 =$ _____

$=$ _____

$64 - 3 + 9 =$ _____

$=$ _____

6 ◯ 안에 **+** 또는 **−**를 넣으세요.

$62 \bigcirc 4 \bigcirc 7 = 65$

$48 \bigcirc 3 \bigcirc 3 = 54$

$54 \bigcirc 7 \bigcirc 2 = 45$

$86 \bigcirc 5 \bigcirc 8 = 83$

7 미술관에 어른 **64**명, 어린이 **8**명이 있습니다. 그중에 **9**명이 여자라면 남자는 몇 명일까요?

식 _____   답 _____ 명

8 사다리를 타고 내려가는 길의 계산에 맞게 빈칸에 알맞은 수를 쓰세요.

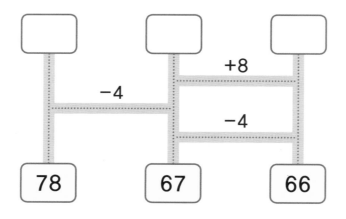

9 재원이가 색종이 **58**장으로 종이 접기를 하였습니다. 장미꽃 **8**개, 비행기 **6**개, 나머지는 모두 종이학을 접었습니다. 종이학은 몇 개 접었을까요? ☐를 사용한 식을 세우고 답을 쓰세요.

식 _____   답 _____ 개

상위권으로 가는 문제 해결 연산 학습지

정답

응용 연산

A3
초1~초2

받아올림, 받아내림이 있는
두 자리 수와 한 자리 수의 덧셈과 뺄셈

Creative to Math
씨투엠

A3 받아올림, 받아내림이 있는 두 자리 수와 한 자리 수의 덧셈과 뺄셈

초1~초2

정답

및

길잡이

덧셈하기

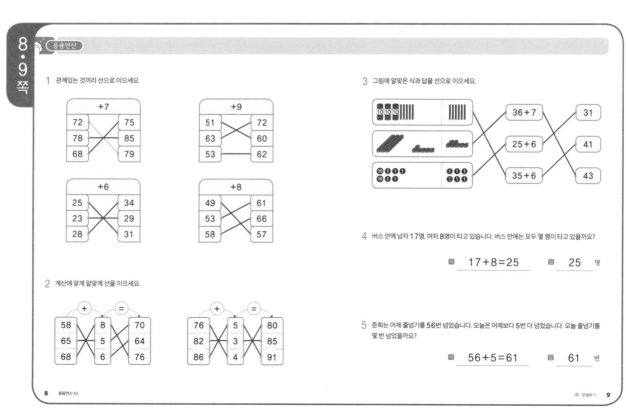

6·7쪽

161 (두 자리 수)+(한 자리 수)

덧셈을 해 봅시다.

$27 + 5 = 30 + \boxed{2} = \boxed{32}$
　　　　　　3　2

5를 3과 2로 가른 다음 3을 먼저 더한 후 2를 나중에 더합니다.

$68 + 9 = 70 + \boxed{7} = \boxed{77}$
　　　　2　7

$56 + 8 = \boxed{60} + 4 = \boxed{64}$
　　　　4　4

$35 + 6 = 40 + \boxed{1} = \boxed{41}$
　　　　5　1

$87 + 5 = \boxed{90} + 2 = \boxed{92}$
　　　　3　2

$49 + 3 = 50 + \boxed{2} = \boxed{52}$
　　　　1　2

$73 + 9 = \boxed{80} + 2 = \boxed{82}$
　　　　7　2

$16 + 6 = 20 + \boxed{2} = \boxed{22}$
　　　　4　2

$64 + 7 = \boxed{70} + 1 = \boxed{71}$
　　　　6　1

$28 + 8 = \boxed{36}$
　2　6

$45 + 6 = \boxed{51}$
　5　1

$59 + 4 = \boxed{63}$
　1　3

$66 + 7 = \boxed{73}$
　　4　3

$82 + 9 = \boxed{91}$
　8　1

$76 + 8 = \boxed{84}$
　4　4

$37 + 9 = 46$

$78 + 5 = 83$

$53 + 8 = 61$

$29 + 5 = 34$

$38 + 9 = 47$

$65 + 6 = 71$

$84 + 8 = 92$

$46 + 6 = 52$

$58 + 7 = 65$

8·9쪽

응용연산

1 관계있는 것끼리 선으로 이으세요.

+7	
72	75
78	85
68	79

+9	
51	72
63	60
53	62

+6	
25	34
23	29
28	31

+8	
49	61
53	66
58	57

2 계산에 맞게 알맞게 선을 이으세요.

+	=
58　8	70
65　5	64
68　6	76

+	=
76　5	80
82　3	85
86　4	91

3 그림에 알맞은 식과 답을 선으로 이으세요.

36 + 7　　31
25 + 6　　41
35 + 6　　43

4 버스 안에 남자 17명, 여자 8명이 타고 있습니다. 버스 안에는 모두 몇 명이 타고 있을까요?

식 　17 + 8 = 25　　답 　25　명

5 준희는 어제 줄넘기를 56번 넘었습니다. 오늘은 어제보다 5번 더 넘었습니다. 오늘 줄넘기를 몇 번 넘었을까요?

식 　56 + 5 = 61　　답 　61　번

2일 C 162 세로셈으로 덧셈하기

세로 방식으로 덧셈을 해 봅시다.

$$
\begin{array}{r} 2\ 9 \\ +\quad 6 \\ \hline \end{array}
\Rightarrow
\begin{array}{r} {}^{1} \\ 2\ 9 \\ +\quad 6 \\ \hline \quad 5 \end{array}
\Rightarrow
\begin{array}{r} {}^{1} \\ 2\ 9 \\ +\quad 6 \\ \hline 3\ 5 \end{array}
$$

일의 자리 숫자끼리의 합이 10이거나 10보다 크면 받아올려서 계산합니다.

$$
\begin{array}{r} {}^{1} \\ 4\ 8 \\ +\quad 7 \\ \hline 5\ 5 \end{array}
\qquad
\begin{array}{r} {}^{1} \\ 5\ 2 \\ +\quad 9 \\ \hline 6\ 1 \end{array}
\qquad
\begin{array}{r} {}^{1} \\ 2\ 8 \\ +\quad 8 \\ \hline 3\ 6 \end{array}
$$

$$
\begin{array}{r} {}^{1} \\ 3\ 9 \\ +\quad 3 \\ \hline 4\ 2 \end{array}
\qquad
\begin{array}{r} {}^{1} \\ 6\ 9 \\ +\quad 6 \\ \hline 7\ 5 \end{array}
\qquad
\begin{array}{r} {}^{1} \\ 5\ 7 \\ +\quad 7 \\ \hline 6\ 4 \end{array}
$$

$$
\begin{array}{r} {}^{1} \\ 8\ 5 \\ +\quad 6 \\ \hline 9\ 1 \end{array}
\qquad
\begin{array}{r} {}^{1} \\ 4\ 3 \\ +\quad 7 \\ \hline 5\ 0 \end{array}
\qquad
\begin{array}{r} {}^{1} \\ 6\ 6 \\ +\quad 7 \\ \hline 7\ 3 \end{array}
$$

$$
\begin{array}{r} 6\ 7 \\ +\quad 5 \\ \hline 7\ 2 \end{array}
\qquad
\begin{array}{r} 4\ 4 \\ +\quad 9 \\ \hline 5\ 3 \end{array}
\qquad
\begin{array}{r} 7\ 2 \\ +\quad 8 \\ \hline 8\ 0 \end{array}
$$

$$
\begin{array}{r} 3\ 6 \\ +\quad 7 \\ \hline 4\ 3 \end{array}
\qquad
\begin{array}{r} 8\ 2 \\ +\quad 9 \\ \hline 9\ 1 \end{array}
\qquad
\begin{array}{r} 2\ 8 \\ +\quad 4 \\ \hline 3\ 2 \end{array}
$$

$$
\begin{array}{r} 5\ 4 \\ +\quad 7 \\ \hline 6\ 1 \end{array}
\qquad
\begin{array}{r} 6\ 5 \\ +\quad 9 \\ \hline 7\ 4 \end{array}
\qquad
\begin{array}{r} 4\ 8 \\ +\quad 5 \\ \hline 5\ 3 \end{array}
$$

$$
\begin{array}{r} 7\ 3 \\ +\quad 9 \\ \hline 8\ 2 \end{array}
\qquad
\begin{array}{r} 3\ 6 \\ +\quad 8 \\ \hline 4\ 4 \end{array}
\qquad
\begin{array}{r} 8\ 6 \\ +\quad 6 \\ \hline 9\ 2 \end{array}
$$

$$
\begin{array}{r} 2\ 7 \\ +\quad 8 \\ \hline 3\ 5 \end{array}
\qquad
\begin{array}{r} 5\ 4 \\ +\quad 6 \\ \hline 6\ 0 \end{array}
\qquad
\begin{array}{r} 6\ 9 \\ +\quad 9 \\ \hline 7\ 8 \end{array}
$$

응용연산

1 □ 안에 알맞은 수를 쓰세요.

$$
\begin{array}{r} 4\ 6 \\ +\quad 4 \\ \hline 5\ 0 \end{array}
\qquad
\begin{array}{r} 6\ 5 \\ +\quad 7 \\ \hline 7\ 2 \end{array}
\qquad
\begin{array}{r} 4\ 9 \\ +\quad 6 \\ \hline 5\ 5 \end{array}
$$

2 주어진 수를 한 번씩 사용하여 덧셈식을 완성하세요.

$$
\boxed{7\ 1\ 6}
\quad
\begin{array}{r} 5\ 7 \\ +\quad 4 \\ \hline 6\ 1 \end{array}
$$

$$
\boxed{4\ 5\ 3}
\quad
\begin{array}{r} 4\ 5 \\ +\quad 8 \\ \hline 5\ 3 \end{array}
$$

$$
\boxed{8\ 2\ 7}
\quad
\begin{array}{r} 2\ 9 \\ +\quad 8 \\ \hline 3\ 7 \end{array}
$$

$$
\boxed{7\ 3\ 8}
\quad
\begin{array}{r} 8\ 7 \\ +\quad 6 \\ \hline 9\ 3 \end{array}
$$

$$
\boxed{8\ 3\ 4}
\quad
\begin{array}{r} 3\ 8 \\ +\quad 5 \\ \hline 4\ 3 \end{array}
$$

$$
\boxed{7\ 1\ 4}
\quad
\begin{array}{r} 6\ 4 \\ +\quad 7 \\ \hline 7\ 1 \end{array}
$$

3 주어진 수를 한 번씩 사용하여 덧셈식을 완성하세요.

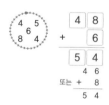

$$
\begin{array}{r} 4\ 8 \\ +\quad 6 \\ \hline 5\ 4 \end{array}
\qquad 또는\
\begin{array}{r} 4\ 6 \\ +\quad 8 \\ \hline 5\ 4 \end{array}
$$

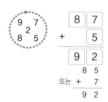

$$
\begin{array}{r} 8\ 7 \\ +\quad 5 \\ \hline 9\ 2 \end{array}
\qquad 또는\
\begin{array}{r} 8\ 5 \\ +\quad 7 \\ \hline 9\ 2 \end{array}
$$

4 소영이는 훌라후프를 돌립니다. 처음에는 27번, 다음에는 9번을 돌렸다면, 소영이는 훌라후프를 모두 몇 번 돌렸을까요?

식
$$
\begin{array}{r} 2\ 7 \\ +\quad 9 \\ \hline 3\ 6 \end{array}
$$

답 **36** 번

5 농촌 체험을 하면서 민호는 오이를 54개, 호박을 8개 땄습니다. 민호가 딴 오이와 호박은 모두 몇 개일까요?

식
$$
\begin{array}{r} 5\ 4 \\ +\quad 8 \\ \hline 6\ 2 \end{array}
$$

답 **62** 개

14·15쪽

3일 C 163 바꾸어 더하기

개념원리

두 수를 바꾸어 더해 봅시다.

⑩⑩❶❶❶❶ | ❶❶❶❶❶❶❶ | $24 + 7 = \boxed{31}$
❶❶❶❶❶❶❶ | ⑩⑩❶❶❶❶ | $7 + 24 = \boxed{31}$

두 수를 바꾸어 더해도 계산 결과는 같습니다.

$44 + 6 = \boxed{50}$　$78 + 5 = \boxed{83}$　$59 + 7 = \boxed{66}$
$6 + 44 = \boxed{50}$　$5 + 78 = \boxed{83}$　$7 + 59 = \boxed{66}$

```
  6 5        9          3 4        8
+   9      + 6 5      +   8      + 3 4
  7 4        7 4        4 2        4 2
```

```
  5 6        5          8 3        7
+   5      + 5 6      +   7      + 8 3
  6 1        6 1        9 0        9 0
```

$88 + 3 = 91$　　$47 + 5 = 52$
$3 + 88 = 91$　　$5 + 47 = 52$

$66 + 6 = 72$　　$39 + 5 = 44$
$6 + 66 = 72$　　$5 + 39 = 44$

$57 + 8 = 65$　　$22 + 9 = 31$
$8 + 57 = 65$　　$9 + 22 = 31$

```
  6 9        9          4 7        6
+   9      + 6 9      +   6      + 4 7
  7 8        7 8        5 3        5 3
```

```
  3 5        8          7 2        8
+   8      + 3 5      +   8      + 7 2
  4 3        4 3        8 0        8 0
```

16·17쪽

응용연산

1 합이 ● 안의 수가 되는 두 수를 모두 색칠하세요.

2 ✿ 안의 수가 합이 되는 이웃한 두 수를 모두 찾아 ◯ 또는 ◖◗로 묶으세요.

3 다음과 같이 옳은 식이 되도록 카드 1장을 / 로 지우고 식을 쓰세요.

7 8̸ + 4 6 = 5 3 ➡ $7 + 46 = 53$

8 7 + 6 5̸ = 9 3 ➡ $87 + 6 = 93$

3̸ 5 + 6 8 = 7 3 ➡ $5 + 68 = 73$

4 □ 안에 알맞은 수를 쓰고, 관계있는 것끼리 이으세요.

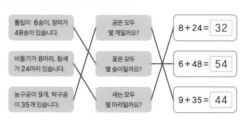

튤립이 6송이, 장미가 48송이 있습니다.　　공은 모두 몇 개일까요?　　$8 + 24 = \boxed{32}$

비둘기가 8마리, 참새가 24마리 있습니다.　　꽃은 모두 몇 송이일까요?　　$6 + 48 = \boxed{54}$

농구공이 9개, 탁구공이 35개 있습니다.　　새는 모두 몇 마리일까요?　　$9 + 35 = \boxed{44}$

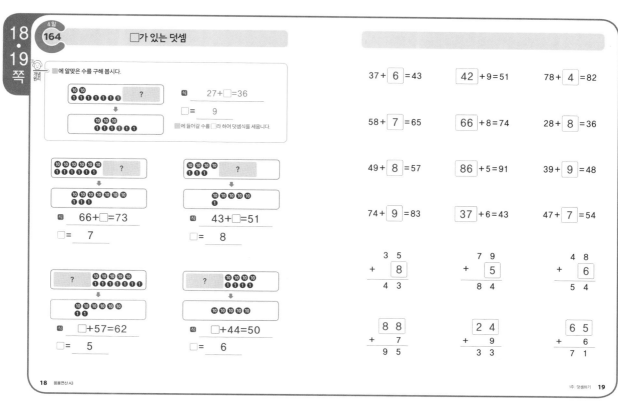

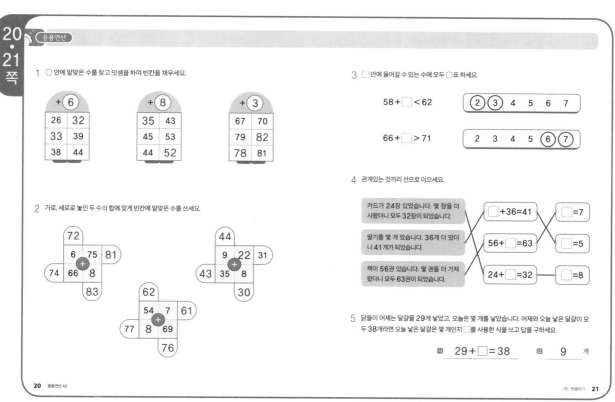

22·23 쪽 5월 😣 **형성평가**

1 덧셈에 맞게 알맞게 선을 이으세요.

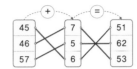

2 도서관에서 어제는 동화책 42권을 빌렸고, 오늘은 위인전 9권을 빌렸습니다. 모두 몇 권을 빌렸을까요?

 $42+9=51$ 답 51 권

3 주어진 수를 한 번씩 사용하여 덧셈식을 완성하세요.

```
  6  1  5
     5  6
  +     5
     6  1
```

```
  9  2  4
     8  4
  +     8
     9  2
```

4 민정이가 쿠키를 구웠습니다. 처음에는 24개를 구웠고, 다음에는 7개를 더 구웠습니다. 민정이가 구운 쿠키는 모두 몇 개일까요?

```
    2  4
  +    7
    3  1
```
답 31 개

5 덧셈을 하세요.

$68+3=71$
$3+68=71$

$35+7=42$
$7+35=42$

6 ❀ 안의 수가 합이 되는 이웃한 두 수를 모두 찾아 ◯ 또는 ◯로 묶으세요.

33

9	25	6
29	5	27
6	24	9

56

45	8	48
3	50	4
47	9	42

24 쪽

7 가로, 세로로 놓인 두 수의 합에 맞게 빈칸에 알맞은 수를 쓰세요.

```
     47
  39  4  43
55  8  47
     51
```

```
     64
   6  38  44
63  58  5
     43
```

8 □ 안에 들어갈 수 있는 수에 모두 ◯표 하세요.

$47+\square<53$ ④ ⑤ 6 7 8 9

9 개구리가 연못에 36마리, 잔디밭에 몇 마리 있습니다. 연못과 잔디밭에 있는 개구리는 모두 42마리입니다. 잔디밭에 있는 개구리는 몇 마리인지 □를 사용한 식을 쓰고 답을 구하세요.

답 $36+\square=42$ 답 6 마리

26 · 27 쪽

165 1일

(두 자리 수) - (한 자리 수)

뺄셈을 해 봅시다.

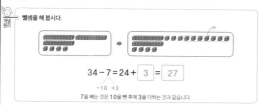

$$34-7=24+\boxed{3}=\boxed{27}$$
$-10 \quad +3$

7을 빼는 것은 10을 뺀 후에 3을 더하는 것과 같습니다.

$22-6=12+\boxed{4}=\boxed{16}$
$-10 \quad +4$

$71-7=\boxed{61}+3=\boxed{64}$
$-10 \quad +3$

$91-8=81+\boxed{2}=\boxed{83}$
$-10 \quad +2$

$83-9=\boxed{73}+1=\boxed{74}$
$-10 \quad +1$

$54-5=44+\boxed{5}=\boxed{49}$
$-10 \quad +5$

$66-8=\boxed{56}+2=\boxed{58}$
$-10 \quad +2$

$42-3=32+\boxed{7}=\boxed{39}$
$-10 \quad +7$

$51-4=\boxed{41}+6=\boxed{47}$
$-10 \quad +6$

$21-8=\boxed{13}$
$-10 \quad +2$

$43-5=\boxed{38}$
$-10 \quad +5$

$54-7=\boxed{47}$
$-10 \quad +3$

$35-6=\boxed{29}$
$-10 \quad +4$

$82-4=\boxed{78}$
$-10 \quad +6$

$76-8=\boxed{68}$
$-10 \quad +2$

$64-9=55$

$50-7=43$

$32-8=24$

$95-8=87$

$37-9=28$

$61-2=59$

$82-4=78$

$43-6=37$

$55-7=48$

28 · 29 쪽

응용연산

1 관계있는 것끼리 선으로 이으세요.

2 뺄셈에 맞게 알맞게 선을 이으세요.

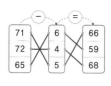

3 성냥개비를 사용하여 뺄셈식을 만들었습니다. 계산이 맞도록 성냥개비 한 개를 지우세요.

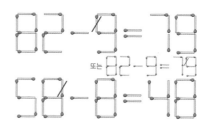

4 정은이는 73쪽짜리 동화책을 8쪽 읽었습니다. 앞으로 몇 쪽 더 읽어야 할까요?

식 $73-8=65$ 답 65 쪽

5 재호는 생일 선물로 연필을 24자루 받았습니다. 그중에서 9자루를 남기고 모두 친구에게 주었습니다. 재호가 친구에게 준 연필은 몇 자루일까요?

식 $24-9=15$ 답 15 자루

30·31쪽

166 세로셈으로 뺄셈하기

개념정리

세로 방식으로 뺄셈을 해 봅시다.

$$
\begin{array}{r} 5\;3 \\ -\quad 8 \\ \hline \end{array}
\Rightarrow
\begin{array}{r} {}^{4}\!\!\!\!\diagup\;{}^{10} \\ \cancel{5}\;3 \\ -\quad 8 \\ \hline \end{array}
\Rightarrow
\begin{array}{r} {}^{4}\quad{}^{10} \\ 5\;3 \\ -\quad 8 \\ \hline 5 \end{array}
\Rightarrow
\begin{array}{r} {}^{4}\quad{}^{10} \\ 5\;3 \\ -\quad 8 \\ \hline 4\;5 \end{array}
$$

일의 자리 숫자끼리 뺄셈을 할 수 없으면 십의 자리에서 10을 받아내려서 계산합니다.

⁵⁄₆ ¹⁰3 − 9 = 54	⁴⁄₅ ¹⁰2 − 6 = 46	⁷⁄₈ ¹⁰7 − 9 = 78
¹⁄₂ ¹⁰1 − 4 = 17	⁶⁄₇ ¹⁰3 − 9 = 65	²⁄₃ ¹⁰8 − 9 = 29
³⁄₄ ¹⁰5 − 8 = 37	⁸⁄₉ ¹⁰0 − 2 = 88	⁵⁄₆ ¹⁰6 − 7 = 59

3 2 − 4 = 2 8	6 4 − 8 = 5 6	9 6 − 8 = 8 8
5 8 − 9 = 4 9	2 5 − 7 = 1 8	7 3 − 6 = 6 7
8 5 − 9 = 7 6	4 0 − 9 = 3 1	6 1 − 7 = 5 4
3 3 − 5 = 2 8	9 1 − 6 = 8 5	5 2 − 8 = 4 4
4 7 − 8 = 3 9	8 6 − 9 = 7 7	7 4 − 7 = 6 7

32·33쪽

응용연산

1 □ 안에 알맞은 수를 쓰세요.

3 [7] − 8 = 2 9	[8] 2 − 4 = 7 8	6 3 − [6] = 5 7

2 주어진 수를 한 번씩 사용하여 뺄셈식을 완성하세요.

(7 5 6) 5 [6] − [9] = 4 7	(9 1 4) 2 4 − [5] = 1 9	(7 5 6) 7 5 − 8 = 6 7
(8 4 5) 9 4 − [9] = 8 5	(9 5 4) 4 5 − [6] = 3 9	(6 3 4) 4 3 − 7 = 3 6

3 주어진 수를 한 번씩 사용하여 뺄셈식을 만드세요.

$$
\begin{array}{r} 8\;3 \\ -\quad 5 \\ \hline 7\;8 \end{array}
\quad \text{또는} \quad
\begin{array}{r} 8\;3 \\ -\quad 8 \\ \hline 7\;5 \end{array}
$$

$$
\begin{array}{r} 7\;5 \\ -\quad 8 \\ \hline 6\;7 \end{array}
\quad \text{또는} \quad
\begin{array}{r} 7\;5 \\ -\quad 7 \\ \hline 6\;8 \end{array}
$$

4 진호는 8층에서 엘리베이터를 타고 31층까지 올라갔습니다. 엘리베이터로 몇 층을 올라갔을까요?

답 23 층

$$
\begin{array}{r} 3\;1 \\ -\quad 8 \\ \hline 2\;3 \end{array}
$$

5 할머니의 연세는 할아버지의 연세보다 6살 적습니다. 할아버지의 연세가 74세라면 할머니의 연세는 몇 세일까요?

답 68 세

$$
\begin{array}{r} 7\;4 \\ -\quad 6 \\ \hline 6\;8 \end{array}
$$

34·35쪽

167 C 3일 두 수의 차

두 수의 차를 구해 봅시다.

8, 64

$64 - 8 = 56$

두 수의 차를 구할 때는
큰 수에서 작은 수를 뺍니다.

55, 7

$$\begin{array}{r} 5\ 5 \\ -\quad\ 7 \\ \hline 4\ 8 \end{array}$$

31, 3

$31 - 3 = 28$

9, 25

$$\begin{array}{r} 2\ 5 \\ -\quad\ 9 \\ \hline 1\ 6 \end{array}$$

2, 50

$50 - 2 = 48$

65, 8

$$\begin{array}{r} 6\ 5 \\ -\quad\ 8 \\ \hline 5\ 7 \end{array}$$

85, 6

$85 - 6 = 79$

6, 94

$$\begin{array}{r} 9\ 4 \\ -\quad\ 6 \\ \hline 8\ 8 \end{array}$$

선으로 이어진 두 수의 차를
빈칸에 쓰세요.

60	8
52	7
6	45
39	

9	91
5	82
8	77
69	

42	7
35	9
26	8
18	

8	72
64	7
9	57
48	

50	6
9	44
35	8
27	

34 응용연산 A3

2주·뺄셈하기 35

36·37쪽

응용연산

1 차가 ● 안의 수가 되는 두 수를 모두 색칠하세요.

2 ● 안의 수가 차가 되는 이웃한 두 수를 모두 찾아 ◯ 또는 ◯로 묶으세요.

63

72	9	71
8	70	6
74	7	73

45

4	51	5
52	7	50
9	53	6

57

64	7	62
5	65	4
60	6	61

38

7	43	5
46	6	45
9	47	8

3 수 배열표의 일부입니다. 같은 모양의 수끼리 차를 구하세요.

	4	★	6	◆	8	♥
13		15				
				27		
			◆			39
♥			46			
53	★				58	

★: $54 - 5 = 49$

◆: $35 - 7 = 28$

♥: $43 - 9 = 34$

4 알맞은 말에 ◯표 하고 식을 완성하세요.

오렌지가 8개, 딸기가 52개 있습니다.
(오렌지 , ⟨딸기⟩)는 (⟨오렌지⟩ , 딸기)보다 몇 개 더 많을까요?

식 $52 - 8 = 44$ 답 44 개

자전거가 45대, 자동차가 9대 있습니다.
(⟨자전거⟩ , 자동차)는 (자전거 , ⟨자동차⟩)보다 몇 대 더 많을까요?

식 $45 - 9 = 36$ 답 36 대

36 응용연산 A3

2주·뺄셈하기 37

정답 및 해설 **9**

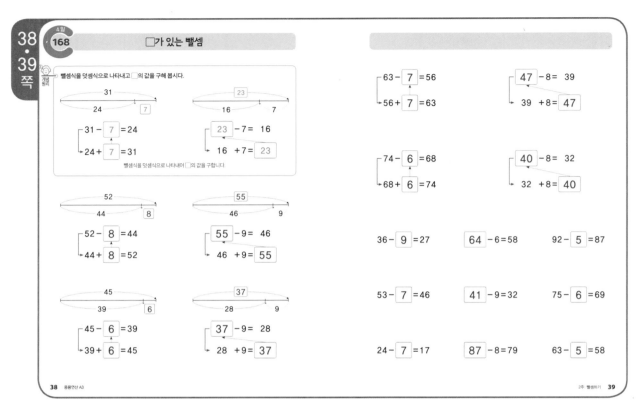

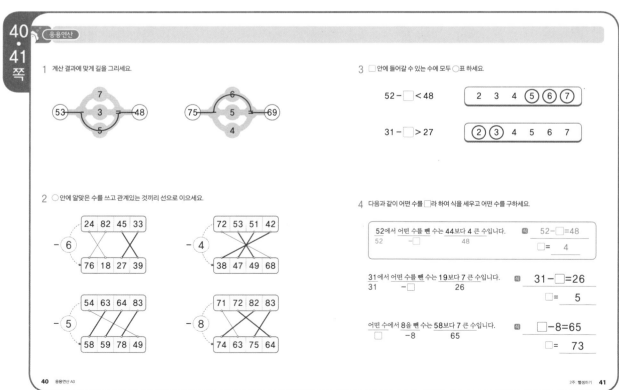

형성평가

1 계산에 맞게 알맞게 선을 이으세요.

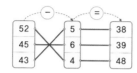

2 수영이는 장미 33송이를 샀습니다. 그중에서 7송이를 남기고 나머지를 선생님께 드렸습니다. 선생님께 드린 장미는 몇 송이일까요?

식 33-7=26   답 26 송이

3 주어진 세 수를 한 번씩 사용하여 뺄셈식을 완성하세요.

4 성호의 이모는 44살입니다. 어머니는 이모보다 6살 어립니다. 성호의 어머니는 몇 살일까요?

답 38 세

5 두 수의 차를 구하세요.

6 ✿안의 수가 차가 되는 이웃한 두 수를 모두 찾아 ◯ 또는 ◯로 묶으세요.

44쪽

7 알맞은 말에 ◯표 하고 식을 완성하세요.

위인전이 9권, 동화책이 34권 있습니다.
(위인전 , 동화책)은 (위인전 , 동화책)보다 몇 권 더 많을까요?

식 34-9=25   답 25 권

8 ◯안에 알맞은 수를 쓰고 관계있는 것끼리 선으로 이으세요.

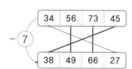

9 ☐안에 들어갈 수 있는 수에 모두 ◯표 하세요.

63-☐<59   2 3 4 ⑤ ⑥ ⑦

덧셈과 뺄셈

169 1일 덧셈과 뺄셈

그림을 보고 덧셈과 뺄셈을 해 봅시다.

24	8
32	

24 + 8 = 32

8 + 24 = 32

32 − 8 = 24

두 수의 합에서 한 수를 빼면 나머지 한 수가 됩니다.

●+■=◆ ◆−●=■
→ ◆−■=●

48	5
53	

48 + 5 = 53

5 + 48 = 53

53 − 5 = 48

56	9
65	

56 + 9 = 65

9 + 56 = 65

65 − 9 = 56

37	7
44	

37 + 7 = 44

7 + 37 = 44

44 − 7 = 37

25	6
31	

25 + 6 = 31

6 + 25 = 31

31 − 6 = 25

$43+8=51$ $72-4=68$ $57+5=62$

$31-2=29$ $63+9=72$ $44-9=35$

$86+5=91$ $54-7=47$ $49+4=53$

$36-8=28$ $64+6=70$ $91-8=83$

$$\begin{array}{r} 4\ 6 \\ +\quad 7 \\ \hline 5\ 3 \end{array}\qquad \begin{array}{r} 7\ 2 \\ -\quad 7 \\ \hline 6\ 5 \end{array}\qquad \begin{array}{r} 5\ 2 \\ +\quad 9 \\ \hline 6\ 1 \end{array}$$

$$\begin{array}{r} 8\ 8 \\ -\quad 9 \\ \hline 7\ 9 \end{array}\qquad \begin{array}{r} 2\ 6 \\ +\quad 8 \\ \hline 3\ 4 \end{array}\qquad \begin{array}{r} 4\ 5 \\ -\quad 8 \\ \hline 3\ 7 \end{array}$$

응용연산

1 이웃한 세 수를 묶은 다음, 가로 또는 세로 방향으로 + 또는 −와 =를 넣어 덧셈식과 뺄셈식 3개를 만드세요.

```
 4   37+ 5 =42
54  7  48  6
 7
 =  73− 6 =67
47  3  63  2
```

```
 5   91−2 =89
64  4  72  7
 6   38+8 =46
62+9 =71  3
```

```
 6   69+5 =74
73  7  38  8
 −
 8   49+3 =52
65  4  62  6
```

```
40  3  62  2
 2  17  4  89
 =
38  58  3
11  26+7 =33
```

2 두 자리 수와 한 자리 수의 덧셈식 또는 뺄셈식에 맞게 꿀벌이 지나가는 길을 그리고 식을 쓰세요.

$43-7=36$

$67+8=75$

3 오른쪽 표는 과일 가게에 있는 과일의 수입니다. 관계있는 것끼리 선으로 잇고 □ 안에 알맞은 수를 쓰세요.

종류	딸기 ●	사과 🍎	참외 🍈
과일의 수	54	9	7

딸기는 사과보다 몇 개 더 많을까요?

딸기와 참외는 모두 몇 개일까요?

딸기는 참외보다 몇 개 더 많을까요?

딸기와 사과는 모두 몇 개일까요?

$54+9=\boxed{63}$

$54-9=\boxed{45}$

$54+7=\boxed{61}$

$54-7=\boxed{47}$

4 주차장에 택시 65대, 버스 8대가 있습니다. 물음에 맞게 식과 답을 쓰세요.

택시와 버스는 모두 몇 대일까요?

식 $65+8=73$ 답 73 대

택시는 버스보다 몇 대 더 많을까요?

식 $65-8=57$ 답 57 대

170 □가 있는 덧셈과 뺄셈

□안에 알맞은 수를 넣고, 식을 완성하여 봅시다.

35	6
41	

35 + 6 = 41

44
9 35

44 − 9 = 35

48	5
53	

48 + 5 = 53

25
7 18

25 − 7 = 18

52	9
61	

52 + 9 = 61

34
5 29

34 − 5 = 29

66	7
73	

66 + 7 = 73

56
8 48

56 − 8 = 48

78 + 5 = 83   44 − 7 = 37   52 + 9 = 61

22 − 3 = 19   68 + 5 = 73   85 − 6 = 79

85 + 8 = 93   36 − 9 = 27   47 + 4 = 51

54 − 6 = 48   75 + 7 = 82   25 − 9 = 16

```
  3 8
+   3
-----
  4 1
```

```
  6 1
−   2
-----
  5 9
```

```
  5 4
+   8
-----
  6 2
```

```
  9 7
−   8
-----
  8 9
```

```
  4 7
+   9
-----
  5 6
```

```
  8 4
−   7
-----
  7 7
```

응용연산

1 일정한 규칙에 따라 수를 쓴 것입니다. 빈 곳에 알맞은 수를 쓰세요.

| 29 ➡ 31 |
| 60 ➡ 62 |
| 48 ➡ 50 |
| 39 ➡ 41 |

| 74 ➡ 66 |
| 53 ➡ 45 |
| 47 ➡ 39 |
| 65 ➡ 57 |

| 35 ➡ 42 |
| 46 ➡ 53 |
| 64 ➡ 71 |
| 87 ➡ 94 |

2 같은 모양은 같은 수를 나타냅니다. □안에 알맞은 수를 쓰세요.

┌ 74 + ■ = 82
└ 51 − ■ = 43
        8

┌ 36 − ● = 31
└ ● + 48 = 53
   5

┌ ◆ − 7 = 45
└ 9 + ◆ = 61
        52

┌ ▲ + 8 = 83
└ ▲ − 6 = 69
   75

3 1부터 9까지의 수 중 □안에 들어갈 수 있는 수를 모두 쓰세요.

78 + □ < 82
1, 2, 3

21 − □ < 17
5, 6, 7, 8, 9

4 다음과 같이 어떤 수를 구하고 바르게 계산하세요.

어떤 수에 7을 더해야 할 것을 잘못하여 9를 뺐더니 24가 되었습니다. 바르게 계산하면 얼마일까요?

어떤 수 구하기: 식 □−9=24   □= 33

바르게 계산하기: 식 33+7=40   답 40

어떤 수에서 8을 빼야 할 것을 잘못하여 5를 더했더니 81이 되었습니다. 바르게 계산하면 얼마일까요?

어떤 수 구하기: 식 □+5=81   □= 76

바르게 계산하기: 식 76−8=68   답 68

어떤 수에 9를 더해야 할 것을 잘못하여 7을 뺐더니 55가 되었습니다. 바르게 계산하면 얼마일까요?

어떤 수 구하기: 식 □−7=55   □= 62

바르게 계산하기: 식 62+9=71   답 71

54·55쪽

C 171 합과 차

3일

두 수의 합과 차를 구해 봅시다.

32 9	합 41 ← 32+9
	차 23 ← 32−9

32와 9의 합은 32+9=41이고
32와 9의 차는 32−9=23입니다.
차는 큰 수에서 작은 수를 뺍니다.

9 34	합 43
	차 25

47 8	합 55
	차 39

8 63	합 71
	차 55

41 9	합 50
	차 32

8 56	합 64
	차 48

82 9	합 91
	차 73

8 53	합 61
	차 45

24 7	합 31
	차 17

7 75	합 82
	차 68

○ 안에는 >, =, <를,
□ 안에는 수를 쓰세요.

$63-6 \bigcirc{>} 48+8$
57　56

$34+8 \bigcirc{=} 46-4$
42　42

$72-7 \bigcirc{<} 59+8$
65　67

$27+4 \bigcirc{=} 40-9$
31　31

$18+5 \bigcirc{>} 31-9$
23　22

$82-8 \bigcirc{<} 69+6$
74　75

$38+8 = \boxed{52}-6$

$\boxed{55}+6 = 70-9$

$45+\boxed{8} = 61-8$

$49+9 = 62-\boxed{4}$

$\boxed{23}+9 = 41-9$

$78+7 = \boxed{92}-7$

$38+9 = 54-\boxed{7}$

$57+\boxed{9} = 73-7$

56·57쪽

응용연산

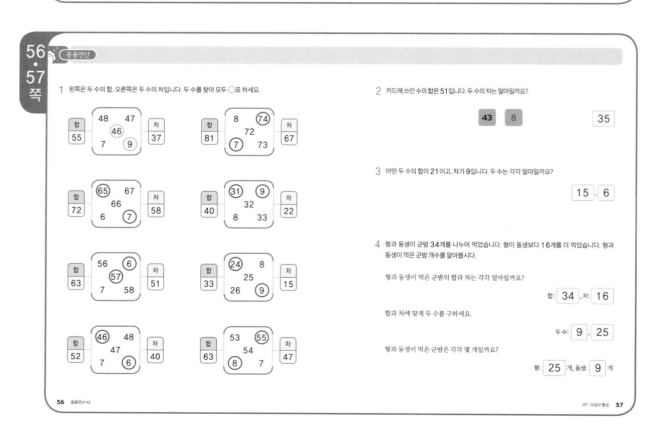

1 왼쪽은 두 수의 합, 오른쪽은 두 수의 차입니다. 두 수를 찾아 모두 ○표 하세요.

합 55 | 48 47 (46) 7 (9) | 차 37

합 81 | 8 (74) 72 (7) 73 | 차 67

합 72 | (65) 67 66 6 (7) | 차 58

합 40 | (31) (9) 32 8 33 | 차 22

합 63 | 56 (6) (57) 7 58 | 차 51

합 33 | (24) 8 25 26 (9) | 차 15

합 52 | (46) 48 47 7 (6) | 차 40

합 63 | 53 (55) 54 (8) 7 | 차 47

2 카드에 쓰인 수의 합은 51입니다. 두 수의 차는 얼마일까요?

43　8　　　35

3 어떤 두 수의 합이 21이고, 차가 9입니다. 두 수는 각각 얼마일까요?

15 , 6

4 형과 동생이 군밤 34개를 나누어 먹었습니다. 형이 동생보다 16개를 더 먹었습니다. 형과 동생이 먹은 군밤 개수를 알아봅시다.

형과 동생이 먹은 군밤의 합과 차는 각각 얼마일까요?

합: 34 , 차: 16

합과 차에 맞게 두 수를 구하세요.

두수: 9 , 25

형과 동생이 먹은 군밤은 각각 몇 개일까요?

형: 25 개, 동생: 9 개

172 숫자 카드 덧셈과 뺄셈

58·59쪽

계산 결과에 맞게 카드의 숫자를 한 번씩 사용하여 덧셈식 또는 뺄셈식을 만들어 봅시다.

7 3 8

7 3 + 8 = 81   3 7 - 8 = 29

8 3 + 7 = 90   8 3 - 7 = 76

숫자 카드 두 장으로 두 자리 수를 만들고, 나머지 한 장으로 한 자리 수를 만듭니다.

9 5 7

5 7 + 9 = 66 또는 59+7   7 5 - 9 = 66

7 5 + 9 = 84 또는 79+5   5 7 - 9 = 48

6 2 8

2 6 + 8 = 34 또는 28+6   6 2 - 8 = 54

6 2 + 8 = 70 또는 68+2   2 6 - 8 = 18

계산 결과에 맞게 숫자 카드를 한 번씩 사용하여 식을 완성하세요.

8 4 6

4 6 + 8 = 54

6 4 + 8 = 72

8 4 + 6 = 90

3 7 8

3 7 + 8 = 45 또는 38+7

7 3 + 8 = 81 또는 78+3

8 3 + 7 = 90 또는 87+3

2 9 1

9 1 - 2 = 89

2 1 - 9 = 12

1 2 - 9 = 3

5 7 6

5 7 + 6 = 63 또는 56+7

7 5 + 6 = 81 또는 76+5

6 7 + 5 = 72 또는 65+7

4 3 9

4 3 - 9 = 34

3 4 - 9 = 25

9 3 - 4 = 89

60·61쪽

응용연산

1 주어진 숫자를 한 번씩 사용하여 계산 결과가 가장 큰 덧셈식과 계산 결과가 가장 작은 뺄셈식을 만들고 계산하세요.

7 8 5
가장 크게 → 8 7 + 5 = 92
가장 작게 → 5 7 - 8 = 49

4 7 6
가장 크게 → 7 6 + 4 = 80 또는 74+6=80
가장 작게 → 4 6 - 7 = 39

2 6 3
가장 크게 → 6 3 + 2 = 65 또는 62+3=65
가장 작게 → 2 3 - 6 = 17

8 5 6
가장 크게 → 8 6 + 5 = 91 또는 85+6=91
가장 작게 → 5 6 - 8 = 48

2 계산기의 색칠된 버튼을 한 번씩 눌렀습니다. 주어진 계산 결과가 나오도록 식을 쓰세요.

42

35+7=42
또는 37+5=42

64

72-8=64

3 숫자 카드 **3**, **8**, **2** 를 한 번씩만 사용하여 두 자리 수와 한 자리 수를 만듭니다. 만든 두 수의 합이 가장 작을 때의 식과 답을 쓰세요.

🖊 2 3 + 8 = 31   🎯 31
또는 28+3=31

4 1부터 9까지의 숫자 카드 중 2장을 뽑아 64를 만들었습니다. 남은 카드 중에서 3장을 뽑아 다음 뺄셈식을 완성하세요. (두 가지 방법이 있습니다.)

7 2 - 8 = **6 4**

7 3 - 9 = **6 4**

62·63쪽

형성평가

1 이웃한 세 수를 묶은 다음, 가로 또는 세로 방향으로 + 또는 −와 =를 넣어 덧셈식과 뺄셈식 3개를 만드세요.

```
33   5  72  4
 7  67+ 8 =75
26   7  46  9
 6  51− 3 =48
```

```
 8  64  6  71
48+ 7 =55    5
 4  69  2  66
63+ 9 =72   3
```

2 같은 모양은 같은 수를 나타냅니다. □ 안에 알맞은 수를 쓰세요.

43 − ◆ = 38
78 + ◆ = 83
　　　　　5

♥ + 8 = 72
♥ − 7 = 57
64

3 1부터 9까지의 수 중 □ 안에 들어갈 수 있는 수를 모두 쓰세요.

58 − □ < 53　　　　6, 7, 8, 9

4 어떤 수에 9를 더할 것을 잘못하여 7을 뺐더니 55가 되었습니다. 바르게 계산하면 얼마일까요?

어떤 수 구하기: 식 □ − 7 = 55　　□ = 62

바르게 계산하기: 식 62 + 9 = 71　　답 71

5 왼쪽은 두 수의 합, 오른쪽은 두 수의 차입니다. 두 수를 찾아 모두 ○표 하세요.

합 33 ⑦ 24 25 26 8 차 19

6 체육관에 배구공과 농구공이 모두 54개 있습니다. 배구공이 농구공보다 38개 더 많습니다. 배구공과 농구공의 수를 알아봅시다.

배구공과 농구공 수의 합과 차는 각각 얼마일까요?　합: 54 , 차: 38

합과 차에 맞게 두 수를 구하세요.　두 수: 8 , 46

배구공과 농구공은 각각 몇 개 있을까요?　배구공: 46 개, 농구공: 8 개

64쪽

7 계산 결과에 맞게 숫자 카드를 한 번씩 사용하여 식을 완성하세요.

5 3 7

5 3 − 7 = 46
7 3 − 5 = 68
3 5 − 7 = 28

8 주어진 숫자를 한 번씩 사용하여 계산 결과가 가장 큰 덧셈식과 계산 결과가 가장 작은 뺄셈식을 만들고 계산하세요.

또는 83 + 2 = 85

3 2 8

가장 크게 → 8 2 + 3 = 85
가장 작게 → 2 3 − 8 = 15

9 숫자 카드 6 , 5 , 7 을 한 번씩 사용하여 두 자리 수와 한 자리 수를 만듭니다. 만든 두 수의 차가 가장 클 때의 식과 답을 쓰세요.

식 76 − 5 = 71　　답 71

세 수의 계산

173 C **더하고 더하기** 1일

세 수의 덧셈을 해 봅시다.

$38+4+5=\boxed{42}+5=\boxed{47}$

$38+4+5=38+\boxed{9}=\boxed{47}$

$38+4+5=\boxed{43}+4=\boxed{47}$

세 수의 덧셈은 순서에 상관없이 두 수를 더하고 남은 한 수를 더합니다.

$56+5+8=\boxed{61}+8$
$=\boxed{69}$

$34+7+2=34+\boxed{9}$
$=\boxed{43}$

$43+8+9=\boxed{52}+8$
$=\boxed{60}$

$26+6+2=\boxed{32}+2$
$=\boxed{34}$

$87+7+4=\boxed{94}+4$
$=\boxed{98}$

$78+5+3=\boxed{81}+5$
$=\boxed{86}$

$48+8+7=\boxed{56}+7$
$=\boxed{63}$

$53+7+4=\boxed{60}+4$
$=\boxed{64}$

$86+3+5=86+\boxed{8}$
$=\boxed{94}$

$28+3+4=28+\boxed{7}$
$=\boxed{35}$

$78+3+4=\boxed{82}+3$
$=\boxed{85}$

$66+7+6=\boxed{72}+7$
$=\boxed{79}$

$67+4+5=\boxed{76}$

$58+7+6=\boxed{71}$

$79+2+4=\boxed{85}$

$25+9+6=\boxed{40}$

$36+5+5=\boxed{46}$

$43+7+8=\boxed{58}$

응용연산

1 ○ 안의 수가 합이 되는 세 수를 찾아 모두 ○표 하세요.

39 → 27, 9, 22, 7, 25, 8

88 → 74, 7, 72, 6, 79, 8

2 주어진 수 중 세 수의 합이 ☐ 안의 수가 됩니다. 필요 없는 두 수에 ×표 하세요.

4, 67, ×5, 6, 69 → 77

×8, 6, 44, ×8, 7 → 57

7, 36, ×2, 5, ×3 → 48

×2, ×3, 6, 78, 7 → 91

3 다음과 같이 세 수의 합에 맞게 +를 하나 지우고 올바른 식을 쓰세요.

$3+4\not{+}6+7=56$ ➡ $3+46+7=56$

$4+3\not{+}8+7=49$ ➡ $4+38+7=49$

$6\not{+}7+5+4=76$ ➡ $67+5+4=76$

$5+3+7\not{+}8=86$ ➡ $5+3+78=86$

4 색종이를 승호는 28장, 진우는 6장, 민우는 진우보다 3장 더 가지고 있습니다. 물음에 맞게 식과 답을 쓰세요.

민우가 가진 색종이는 몇 장일까요?

식 $6+3=9$ 답 9 장

승호, 진우, 민우가 가진 색종이는 모두 몇 장일까요?

식 $28+6+9=43$ 답 43 장

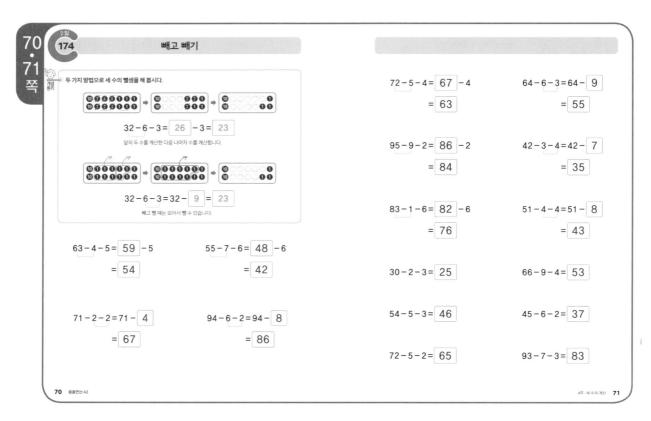

70·71쪽

2일
174

빼고 빼기

두 가지 방법으로 세 수의 뺄셈을 해 봅시다.

$$32 - 6 - 3 = \boxed{26} - 3 = \boxed{23}$$

앞의 두 수를 계산한 다음 나머지 수를 계산합니다.

$$32 - 6 - 3 = 32 - \boxed{9} = \boxed{23}$$

빼고 뺄 때는 모아서 뺄 수 있습니다.

$$63 - 4 - 5 = \boxed{59} - 5$$
$$= \boxed{54}$$

$$55 - 7 - 6 = \boxed{48} - 6$$
$$= \boxed{42}$$

$$71 - 2 - 2 = 71 - \boxed{4}$$
$$= \boxed{67}$$

$$94 - 6 - 2 = 94 - \boxed{8}$$
$$= \boxed{86}$$

$$72 - 5 - 4 = \boxed{67} - 4$$
$$= \boxed{63}$$

$$64 - 6 - 3 = 64 - \boxed{9}$$
$$= \boxed{55}$$

$$95 - 9 - 2 = \boxed{86} - 2$$
$$= \boxed{84}$$

$$42 - 3 - 4 = 42 - \boxed{7}$$
$$= \boxed{35}$$

$$83 - 1 - 6 = \boxed{82} - 6$$
$$= \boxed{76}$$

$$51 - 4 - 4 = 51 - \boxed{8}$$
$$= \boxed{43}$$

$$30 - 2 - 3 = \boxed{25}$$

$$66 - 9 - 4 = \boxed{53}$$

$$54 - 5 - 3 = \boxed{46}$$

$$45 - 6 - 2 = \boxed{37}$$

$$72 - 5 - 2 = \boxed{65}$$

$$93 - 7 - 3 = \boxed{83}$$

72·73쪽

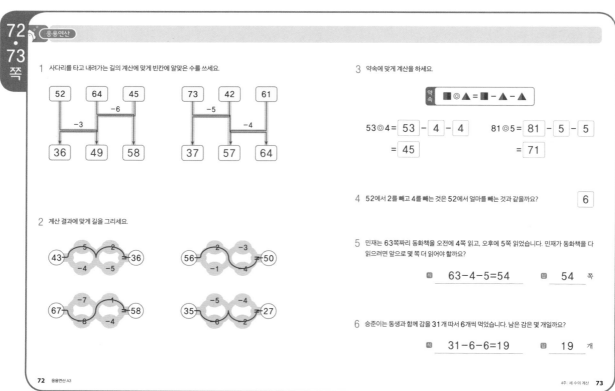

1 사다리를 타고 내려가는 길의 계산에 맞게 빈칸에 알맞은 수를 쓰세요.

```
52    64    45
         -6
   -3
36    49    58
```

```
73    42    61
      -5
            -4
37    57    64
```

2 계산 결과에 맞게 길을 그리세요.

43 —5— —4— —5 = 36

56 —2— —3— —1 —4 = 50

67 —7— —8 —4 = 58

35 —5— —4— —6 —2 = 27

3 약속에 맞게 계산을 하세요.

약속 ■ ◎ ▲ = ■ - ▲ - ▲

$$53 ◎ 4 = \boxed{53} - \boxed{4} - \boxed{4}$$
$$= \boxed{45}$$

$$81 ◎ 5 = \boxed{81} - \boxed{5} - \boxed{5}$$
$$= \boxed{71}$$

4 52에서 2를 빼고 4를 빼는 것은 52에서 얼마를 빼는 것과 같을까요? ☐ 6

5 민재는 63쪽짜리 동화책을 오전에 4쪽 읽고, 오후에 5쪽 읽었습니다. 민재가 동화책을 다 읽으려면 앞으로 몇 쪽 더 읽어야 할까요?

식 $63 - 4 - 5 = 54$ ☐ 54 쪽

6 승준이는 동생과 함께 감을 31개 따서 6개씩 먹었습니다. 남은 감은 몇 개일까요?

식 $31 - 6 - 6 = 19$ ☐ 19 개

175 3일 세 수의 계산

두 가지 방법으로 세 수의 계산을 해 봅시다.

$42-6+9=\boxed{36}+9$

$\quad=\boxed{45}$

42와 6의 차를 구한 다음
그 계산 결과에 9를 더합니다.

$42 \xrightarrow{-6} 36 \xrightarrow{+9} 45$

$\overset{+\;\boxed{3}}{\frown}$

$42-6+9=42+\boxed{3}$

$\quad=\boxed{45}$

6을 빼고 9를 더하는 것은
3을 더하는 것과 같습니다.

$75+6-8=\boxed{81}-8$

$\quad=\boxed{73}$

$75+6-8=75-\boxed{2}$

$\quad=\boxed{73}$

$75 \xrightarrow{+6} 81 \xrightarrow{-8} 73$

$\overset{-\;2}{\frown}$

$61-5+7=\boxed{56}+7$

$\quad=\boxed{63}$

$61-5+7=61+\boxed{2}$

$\quad=\boxed{63}$

$61 \xrightarrow{-5} 56 \xrightarrow{+7} 63$

$\overset{+\;2}{\frown}$

$27+4-6=\boxed{31}-6$

$\quad=\boxed{25}$

$53-6+2=53-\boxed{4}$

$\quad=\boxed{49}$

$74-7+3=\boxed{67}+3$

$\quad=\boxed{70}$

$35+6-2=35+\boxed{4}$

$\quad=\boxed{39}$

$45+8-6=\boxed{53}-6$

$\quad=\boxed{47}$

$64-7+4=64-\boxed{3}$

$\quad=\boxed{61}$

$82+3-5=\boxed{80}$

$35-6+3=\boxed{32}$

$50-3+7=\boxed{54}$

$79+8-4=\boxed{83}$

$47+4-2=\boxed{49}$

$61-9+4=\boxed{56}$

응용연산

1 다음과 같이 두 가지 방법으로 계산을 하세요.

$28+7-8=\underline{35-8}$

$\quad=\underline{27}$

$28+7-8=\underline{28-1}$

$\quad=\underline{27}$

$62-5+7=\underline{57+7}$

$\quad=\underline{64}$

$62-5+7=\underline{62+2}$

$\quad=\underline{64}$

$77+6-8=\underline{83-8}$

$\quad=\underline{75}$

$77+6-8=\underline{77-2}$

$\quad=\underline{75}$

2 ○안에 + 또는 −를 넣으세요.

$65 \boxed{-} 7 \boxed{+} 4=62$

$24 \boxed{+} 6 \boxed{+} 3=33$

$49 \boxed{+} 2 \boxed{-} 7=44$

$73 \boxed{-} 8 \boxed{+} 6=71$

$52 \boxed{-} 6 \boxed{+} 5=51$

$91 \boxed{-} 4 \boxed{-} 5=82$

3 다음과 같이 □안에 들어갈 수를 구하는 식과 답을 쓰세요. □안에 알맞은 수를 구하세요.

$\square=\underline{27+9+5}$

$\quad=\underline{41}$

또는 $41-4-5$

$\square=\underline{41-5-4}$

$\quad=\underline{32}$

또는 $27-9+4$

$\square=\underline{27+4-9}$

$\quad=\underline{22}$

4 빨간색 구슬 15개, 파란색 구슬 8개가 있습니다. 노란색 구슬은 빨간색 구슬과 파란색 구슬의 개수의 합보다 9개 적다면 노란색 구슬은 몇 개일까요?

식 $\underline{15+8-9=14}$ 답 $\underline{14}$ 개

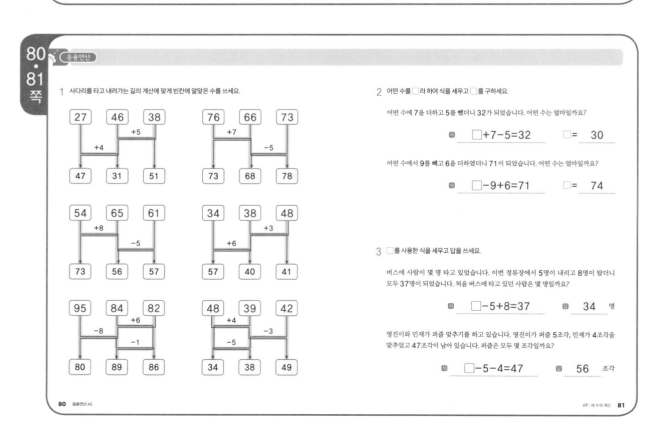

78·79쪽

C 176 4일 거꾸로 계산하기

거꾸로 계산해 봅시다.

$$35 \xrightarrow{+7} 42 \xrightarrow{-5} 37$$
$$\xleftarrow{-7} \quad \xleftarrow{+5}$$

거꾸로 계산할 때는
+는 −로, −는 +로 계산합니다.

$$53 \xrightarrow{-5} 48 \xrightarrow{-3} 45$$
$$\xleftarrow{+5} \quad \xleftarrow{+3}$$

$$48 \xrightarrow{+6} 54 \xrightarrow{-7} 47$$
$$\xleftarrow{-6} \quad \xleftarrow{+7}$$

$$67 \xrightarrow{+4} 71 \xrightarrow{-2} 69$$
$$\xleftarrow{-4} \quad \xleftarrow{+2}$$

$$81 \xrightarrow{-2} 79 \xrightarrow{+8} 87$$
$$\xleftarrow{+2} \quad \xleftarrow{-8}$$

$$33 \xrightarrow{-6} 27 \xrightarrow{+5} 32$$

$$78 \xrightarrow{+3} 81 \xrightarrow{-5} 76$$

$$59 \xrightarrow{+3} 62 \xrightarrow{+4} 66$$

$$96 \xrightarrow{-5} 91 \xrightarrow{+2} 93$$

$74 + 3 + 5 = 82$

$77 + 5 - 3 = 79$

$36 - 7 + 5 = 34$

$62 - 7 - 2 = 53$

$89 + 2 - 6 = 85$

$34 + 8 - 4 = 38$

$46 - 8 + 5 = 43$

$23 - 6 + 2 = 19$

$27 + 6 + 2 = 35$

$87 + 4 - 3 = 88$

$95 - 9 + 6 = 92$

$72 - 3 + 1 = 70$

$16 + 7 - 2 = 21$

$93 - 6 - 3 = 84$

$46 - 9 + 5 = 42$

$57 + 7 - 4 = 60$

80·81쪽

응용연산

1 사다리를 타고 내려가는 길의 계산에 맞게 빈칸에 알맞은 수를 쓰세요.

| 27 | 46 | 38 |
| 47 | 31 | 51 |
+4, +5

| 76 | 66 | 73 |
| 73 | 68 | 78 |
+7, −5

| 54 | 65 | 61 |
| 73 | 56 | 57 |
+8, −5

| 34 | 38 | 48 |
| 57 | 40 | 41 |
+6, +3

| 95 | 84 | 82 |
| 80 | 89 | 86 |
−8, +6, −1

| 48 | 39 | 42 |
| 34 | 38 | 49 |
+4, −5, −3

2 어떤 수를 □라 하여 식을 세우고 □를 구하세요.

어떤 수에 7을 더하고 5를 뺐더니 32가 되었습니다. 어떤 수는 얼마일까요?

식 $□ + 7 - 5 = 32$ □ = 30

어떤 수에서 9를 빼고 6을 더하였더니 71이 되었습니다. 어떤 수는 얼마일까요?

식 $□ - 9 + 6 = 71$ □ = 74

3 □를 사용한 식을 세우고 답을 쓰세요.

버스에 사람이 몇 명 타고 있었습니다. 이번 정류장에서 5명이 내리고 8명이 탔더니 모두 37명이 되었습니다. 처음 버스에 타고 있던 사람은 몇 명일까요?

식 $□ - 5 + 8 = 37$ 답 34 명

영진이와 민재가 퍼즐 맞추기를 하고 있습니다. 영진이가 퍼즐 5조각, 민재가 4조각을 맞추었고 47조각이 남아 있습니다. 퍼즐은 모두 몇 조각일까요?

식 $□ - 5 - 4 = 47$ 답 56 조각

형성평가

1 ○ 안의 수가 합이 되는 세 수를 찾아 모두 ○표 하세요.

68 ····· ⓐ46 **⑤** ⓐ52 **⑥** **㊱56** **⑦**

2 딸기를 영재는 34개, 현아는 7개, 은정이는 현아보다 1개 더 먹었습니다. 물음에 맞게 식과 답을 쓰세요.

은정이가 먹은 딸기는 몇 개일까요?

ⓐ 7+1=8   ⓑ 8 개

영재, 현아, 은정이가 먹은 딸기는 모두 몇 개일까요?

ⓐ 34+7+8=49   ⓑ 49 개

3 계산 결과에 맞게 길을 그리세요.

62 －4 －5 53 －5 －4 48
   －3 －2   －2 －3

4 사다리를 타고 내려가는 길의 계산에 맞게 빈칸에 알맞은 수를 쓰세요.

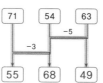

71	54	63

－5
－3

55	68	49

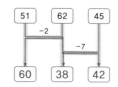

51	62	45

－2
－7

60	38	42

5 두 가지 방법으로 계산을 하세요.

64－3+9 = 61+9   64－3+9 = 64+6
         = 70   = 70

6 ○ 안에 + 또는 －를 넣으세요.

62 － 4 + 7 = 65   54 － 7 － 2 = 45

48 + 3 + 3 = 54   86 + 5 － 8 = 83

7 미술관에 어른 64명, 어린이 8명이 있습니다. 그중에 9명이 여자라면 남자는 몇 명일까요?

ⓐ 64+8－9=63   ⓑ 63 명

8 사다리를 타고 내려가는 길의 계산에 맞게 빈칸에 알맞은 수를 쓰세요.

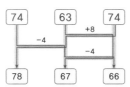

74	63	74

－4
+8
－4

78	67	66

9 재원이가 색종이 58장으로 종이 접기를 하였습니다. 장미꽃 8개, 비행기 6개, 나머지는 모두 종이학을 접었습니다. 종이학은 몇 개 접었을까요? □를 사용한 식을 세우고 답을 쓰세요.

ⓐ □+8+6=58   ⓑ 44 개